JN119030

脳梗塞・心筋梗塞・動脈硬化

怖い血栓症はこうしたら防げる！治せる！

医師 佐野正行 監修

監修のことば

感染症にも血栓症にも負けない体を作る

２０２０年春、中国に始まった新型コロナウイルス感染症は、未だに鎮静化の兆しがありません。21世紀、人類がウイルスにここまで追いつめられるとは、私を含め医療関係者の誰もが想像していなかったと思います。

この未知の感染症の正体が明らかになる中で、血栓症が重症化のきっかけになることがわかってきました。「重症者の３割に、血栓症が見られた」というデータもあります。そうなると、急に心配になる方もいるのではないでしょうか。

新型コロナに限りませんが、感染症で重症化しやすいのは基礎疾患を持っている人です。血栓症でいえば動脈硬化が進んでいる人。あるいは高血圧、脂質異常症や糖尿病、肥満などのある人は血栓症のリスクが高まります。感染症というと、外敵が襲ってくるイメージかもしれませんが、ウイルスは弱点を持った人間を攻撃してくるのです。

私は消化器外科医として、基幹病院・大学病院などで勤務をしながら、究極の生活習慣病である「がん」に対する治療を実践してきました。３０００人以上の患者さんの手術に携わりながら治療を続けて行くうちに、根治できない病気には、どう対応していけばいいか考えるようになりました。

そして今日の新型コロナウイルス感染症の蔓延においても、重要なのは原因（病気の背景）に対してアプローチすること、常に自然治癒力を最大限にしておくこと、そして病気になる前（未病時）に対応することが大切だと思います。

血栓症に対する治療技術は大変進歩してきていますが、それでも心筋梗塞や脳梗塞で命を落とす人は毎年何万人もいます。一命をとりとめても、脳卒中の場合、重い後遺症を抱え、寝たきりになってしまったり、麻痺が残って行動が制限されてしまったりする人もたくさんいます。

未病時、つまり血栓症になる前に、動脈硬化が進行していることに気づいた時に、打てる手を打っておくべきです。そうすれば血栓症は防ぐことができ、動脈硬化を改善できれば、コロナウイルスで重症化するリスクも下げられるのです。

しかし仕事などが原因で食事や運動など生活習慣を完璧な状態にするのが難しいという人は、本書で紹介しているミミズ由来のサプリメントを補助的に使うという方法もあります。ＥＦＥ（血栓溶解酵素）は、中国では血栓症の治療薬でありながら、日本ではサプリメントとして使うことができます。世界でもトップクラスの研究所が開発した物質ですから信頼できるものだと思います。

先の見えない新型コロナウイルス感染症。この災厄に負けず血栓症を防ぐためには、重症化しない体づくりを心がけてください。マスクや手洗いも大切ですが、まず病気にならない体を作る。ＥＦＥ（血栓溶解酵素）のサプリメントも、きっと大きな助けになってくれるでしょう。


監修／医師・医療相談専門医　**佐野　正行**

はじめに

寝たきりの4割は脳梗塞などの血栓症が原因

世界一の長寿国と言われる日本。平均寿命は女性87歳、男性81歳です。これが平均ですから90歳以上、100歳以上の人もたくさんいて、まさに「人生100年時代」にさしかかっているのがわかります。

けれども長寿を手放しでは喜べない現実もあります。年金、老後の生活費、介護人材…。年をとっても元気で自由に生きていける人は、そう多くありません。

最大の老後不安は「寝たきりになったらどうしよう」ではないでしょうか。家族に負担をかけ、自分は自由をなくし、何一つひとりではできない生活。考えただけで気が滅入ってきます。

だからでしょうか。「死ぬならポックリ逝きたい」と言う人が少なくありません。もちろん医学の発達した今日、そう簡単にポックリ逝けないのが現実です。もし脳梗塞で倒れたら、病院では先端医療を駆使して救命してくれます。

問題はその後です。

発見と処置が早く、発症箇所が処置しやすい場所であれば回復も良好です。しかし発見が遅れた場合、予後はかなり厳しくなります。脳卒中の場合、まひなど後遺症が残り、リハビリや介護が必要になります。「日本の寝たきり状態の4割は、脳梗塞などの血栓症が原因」ということをご存知でしょうか。

けれども悲観することはないと思います。脳梗塞のような血栓症は予防が可能であるということ。血栓症の背景にあるのは動脈硬化です。それさえ認識し予防に励めば、血栓症にはならずにすむと思います。

そのための食事や運動、生活改善が難しいという人には、動脈硬化を予防・改善するサプリメントがあります。本書の後半で紹介しているミミズを原料としたサプリメントは、もとは血栓症の薬です。既に何年も医療現場で使われてきて評価の定まったものです。また従来の医薬品につきものの出血などの副作用がありません。予防はもちろんのこと、脳梗塞や心筋梗塞を発症した後、治療の助けになることもわかってきました。

忙しい現代人には、将来に備えて生活を切り替えましょう、といっても難しいと思います。そこでちょっと手が回らないところを、サプリメントで補う。そうすれば、あまり無理をしなくても、動脈硬化の予防や改善につながります。

脳卒中や心筋梗塞など血栓症の不安がある方は、まずは健康診断。数値を見ながら、こうした病気に関する認識を新たにしましょう。そしてご自身の身体をよく知って、動脈硬化を改善しましょう。血栓症を防ぎ、後遺症で苦しい生活を送ることのないようにしてください。

目次

第2章

血栓症（心疾患と脳血管疾患）の治療法　47

第5章

第6章 ＥＦＥで血栓症が改善した人たち

第7章

第1章

脳梗塞・心筋梗塞は血管が詰まる血栓症

脳梗塞と心筋梗塞は同じ病気？

脳の血管が詰まる脳梗塞、心臓の血管が詰まる心筋梗塞、足の血管が詰まる下肢閉塞性動脈硬化症。これらの病気はバラバラに語られることの多い病気ですが、いずれも血管が詰まる病気です。

発症する部位が違うので全く別の症状のように見えますが、いずれも血管で起きるトラブルという点では同じです。血管が硬くなり、血流が悪くなって起こるという点も共通しています。原因も発生のメカニズムも共通する点が多い病気と言ってもいいでしょう。

身体のどこの血管に、どのように発生するかによって病名が変わり、脳梗塞になったり、心筋梗塞になったりします。どの病気も、ひとたび発生すれば生命に関わる緊急事態であり、早期発見・早期治療が欠かせません。

今日、医学の進歩によって、こうした重篤な病気になっても助かる人が増えました。しかし昔は、一度発症すれば致命的であり、亡くなる人がとても多かったのです。今でもこれらの病気は、日本人の死因として非常に多い病気に変わりありません。

また助かる人が増えたといっても、助かる＝完治するというわけにいかないのがこの病気の最大の問題です。

日本人の死因、三大原因はがんと血栓症？

平成30年の厚労省の人口動態統計（2018年）によると、日本人の死因の1位は悪性新生物、つまりがんです。がんが死因の1位になったのが1981年ですので、以来40年近くになります。背景には高齢化があり、この傾向は当分変わりそうもありません。

やや変動があるのは2位以下です。2位が心疾患、3位が老衰、4位が脳血管疾患、5位が肺炎です。少し前までは3位が肺炎、5位が老衰だったので、入れ替わった格好になっています。

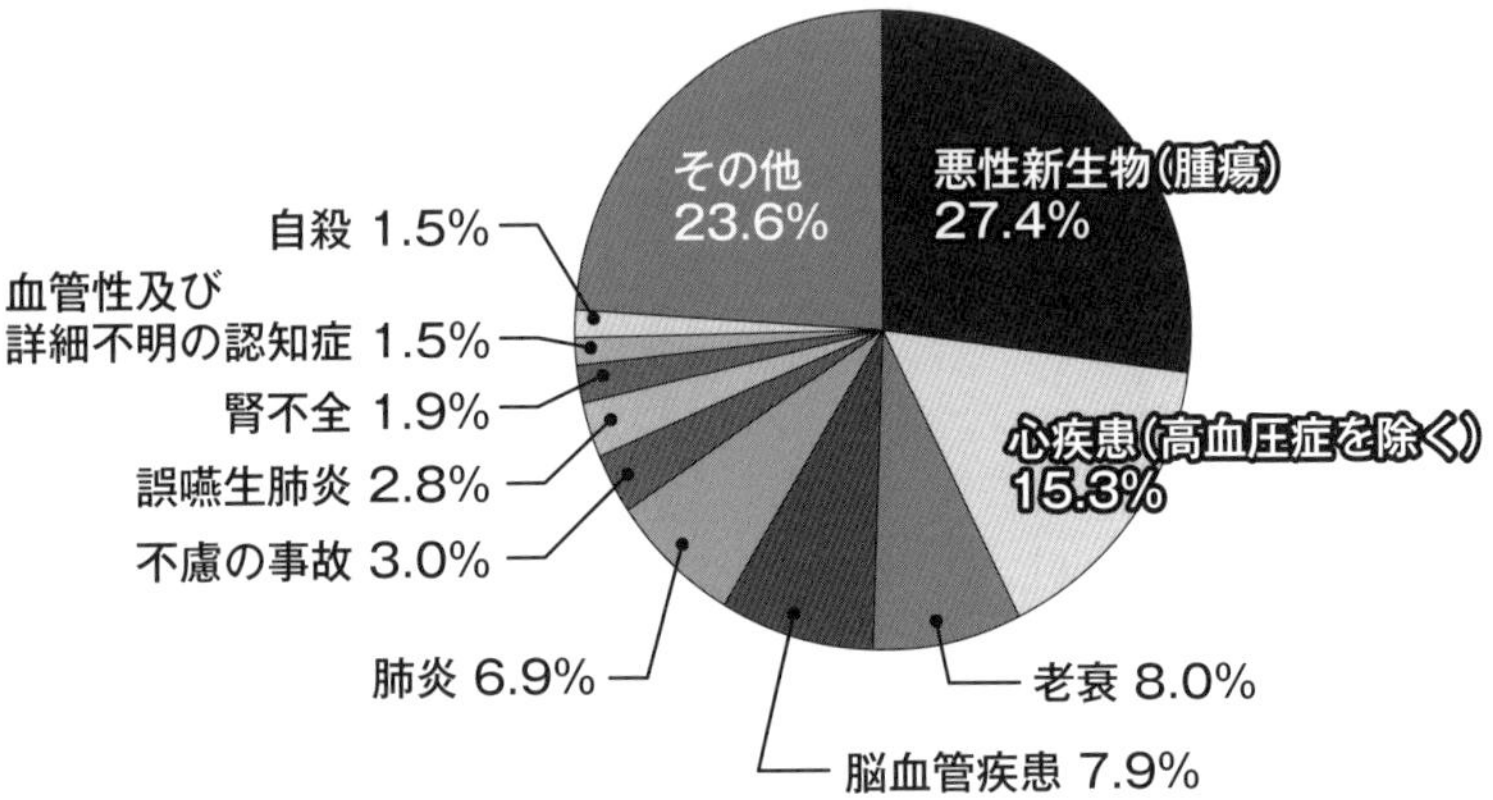

2位の心疾患とは、心臓の病気を指します。心臓を動かすために必要な血液を供給する血管（冠状動脈）が、動脈硬化などが原因で詰まってしまい、血流が滞ったり、途絶えたりしてしまう病気の総称が心疾患です。心筋梗塞や狭心症、弁膜症、不整脈などがその仲間であり、こうした様々な問題が絡み合って心臓の働き全体が低下してしまうと心不全という状態になります。

心疾患はそれぞれが独立して発症するのではなく、今述べたように血管が詰まってしまう動脈硬化がもとになっていることがほとんどです。さらにそれぞれの組織の弱点が絡み合い、悪影響し合って心臓の働きを低下させているのです。

４位の脳血管疾患とは、脳の血管が破れたり詰まったりして発症する病気です。血管が破れるのが脳出血、詰まるのが脳梗塞ですが、最近増えているのは脳梗塞です。

脳梗塞の「梗塞」とは、「ものが詰まって流れが悪くなる」という意味で、血の固まりである血栓が血管をふさぎ、そこから先へ血液が流れなくなってしまいます。血栓によって詰まった先の細胞や組織は、酸素や栄養が不足して壊死（部分的に死んでしまうこと）してしまいます。

このように述べるとわかる通り、心疾患も脳血管疾患も、多くは血管が硬くなったり狭くなったりする動脈硬化があり、やがて血栓症に至って発症します。

このように見ていくと、日本人の死因は、がんと血栓症という２大疾病のいずれかであることが多いことがおわかりいただけるでしょう。

動脈硬化からの〝血栓症〟と認識すると予防がしやすい

がんで亡くなる日本人は年間約37万人で、亡くなる人の約27％。心疾患で亡くなる人は約20万人で亡くなる人の約15％、脳血管疾患での死者は約10万人で亡くなる人の約８％です。

心疾患と脳血管疾患で亡くなる人を合わせると、がんで亡くなる人とほぼ同じ。大体約３割です。この２つが日本人の２大死因ととらえることができます。

心疾患、脳血管疾患の背景には動脈硬化があり、血栓症があると述べました。病気が起こる箇所が心臓であっても脳であっても、あるいは後に述べる肺であっても、その背景には血管に問題がある動脈硬化があります。それが進行し、血管が詰まると血栓症になります。

どうしても我々は「脳の病気」「心臓の病気」といった具合に、大きな臓器やその働きで病気をとらえがちです。「脳梗塞だから半身不随になった」「心筋梗塞の後遺症で、軽い運動も難しくなった」という具合です。

また医学研究も循環器系（全身血管疾患）、脳血管疾患、心血管疾患といった具合に分かれており、わかりにくいのが現状です。

こうした病気を予防し、万一発症してもその後、うまくつきあっていくには、「病気の原因のほとんどが動脈硬化からの血栓症だ」と認識した方がいいと思います。病気の原因は血管にあり、血栓症から発生します。脳に起きても、心臓に起きても、肺に起きても同じです。同じ病気と考えた方が予防も改善もしやすいと言えるでしょう。

なぜ血が固まるのか

血液には、もともと固まる性質があります。血管が傷ついた時に、出血を止めるために固まるのです。もし血液が固まらなければ、傷口から血が流れ続け、出血多量で失血死してしまいます。

内出血も同様です。血が流れ出ることはなくても、皮膚の下で血管が切れ出血しています。出血を止め、血管を修復するために血液は固まります。打撲で皮膚が紫色になっているのは、皮膚の下で出血している証拠です。

血が固まるのには「出血を止める」「命を守る」という理由があるわけです。

誰しも包丁で指を切ったり、靴擦れでくるぶしに血が滲んだりすることはあると思います。ちょっとしたケガでも、皮膚が切れ血管が破れて出血します。多少のケガであれば、いずれ血が固まってカサブタになり、出血は止まります。

なぜこうした現象が起きるのかと言えば、血液には「固まる」という性質があるからです。大切な血液を失って命をなくすことのないよう、生命維持装置として血液には「固まる」という性質があります。ただしそれが裏目に出ることがあります。

血栓は、できて、なくなるまでが大事

ご存知の通り血液の中には血小板という細胞があって、血を固める働きをしています。とても小さな細胞ですが、いざという時はすぐに働けるように、血管の内壁すれすれに流れています。

ケガをして血管が破れると、真っ先に血小板が集まって（血小板凝集）傷口をふさぎます。このフタは血小板血栓といいます。

このフタはちょっとした絆創膏のようなもので、あまり強力ではありません。そこで次に血液中の凝固因子であるタンパク質フィブリノーゲンが集まり、のり状の物質フィブリンに変化し、網目状のしっかりした膜を作ります。そこには赤血球や白血球などの周囲の血球も集まり、血小板やフィブリンの隙間を埋めてはりつき頑丈な血栓ができ、血液が漏れ出すのをしっかりと防いでくれます。

これがフィブリン血栓で、血管（や表皮）が再生されるまでしっかりと傷口を守ってくれます。表皮であれば次第に乾いてカサブタになります。

血液の凝固過程

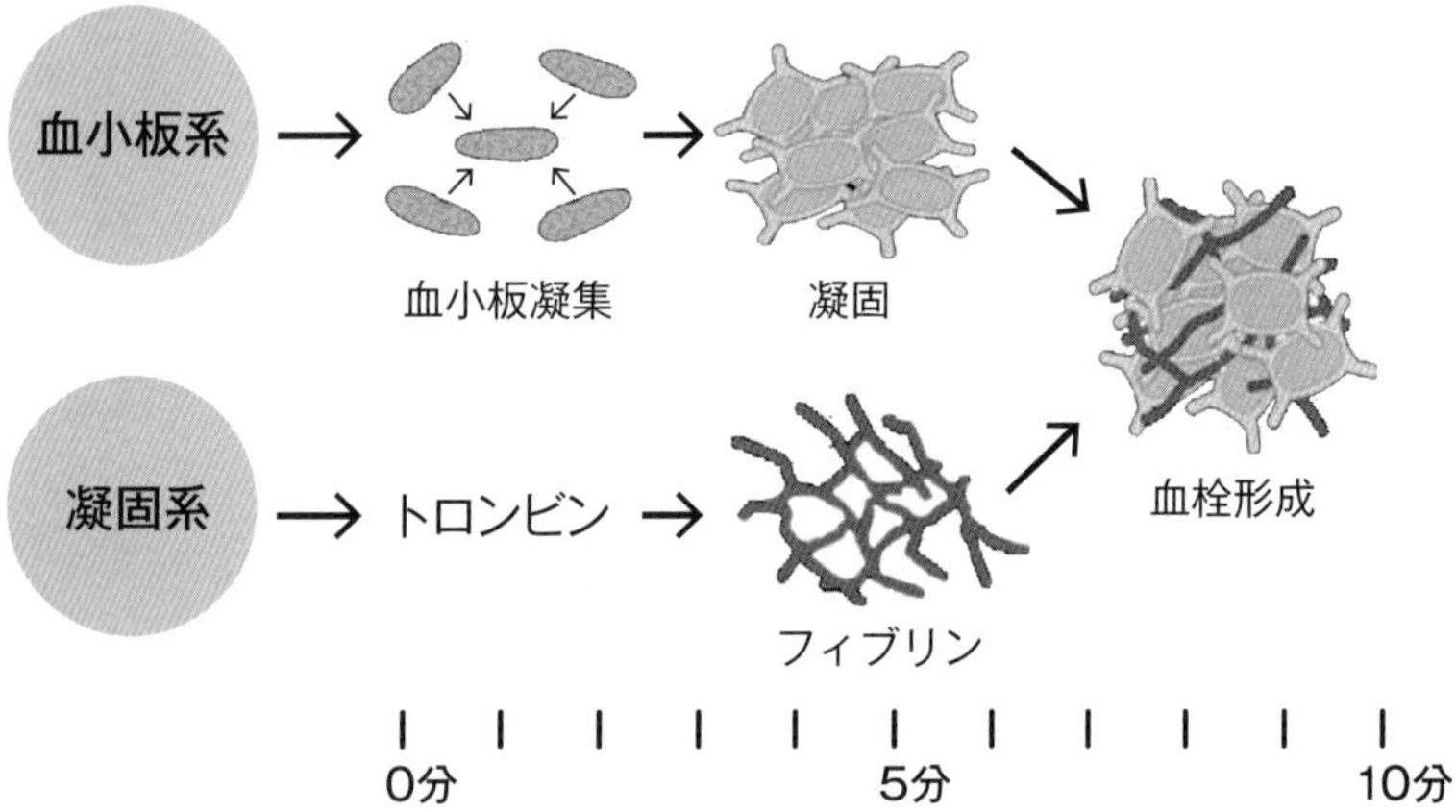

表皮のカサブタは文字通りフタであり、外から細菌などが侵入するのを防ぎ、傷ついた患部の痛みを防ぎ、フタの下に新しい表皮ができるまで患部を保護しています。新しい皮膚ができればカサブタは不用になり、はがれて用済みになります。

カサブタ付近が痒くなるのは、痛みが消えていく過程で同じ神経細胞の反応(弱い痛み＝痒み)として生じると考えられています。

血栓の役割〜凝固系と線溶系

本書は血栓症をテーマにしているので、重要なのは表皮より血管内です。今述べた血栓ができてなくなるプロセスは、表皮であれば表皮限定ですが、血管内で起きれば全身に関わります。血液は全身を巡っているので、どこに起きても他の臓器に影響します。

さて血管内でも、傷ができると、まず血小板が集まって血栓を作ります。血小板の持つ凝固因子によってフィブリノーゲンがフィブリンになり、頑丈な血栓を作って傷をふさぎ、血管の修復を助けます。そうして血管の修復が終われば血栓は不用になります。

ここまでは表皮の傷と同じです。表皮の血栓（カサブタ）ははがれて終わりですが、血管内はそうはいきません。

血管内でできる傷は、たとえば打撲や切り傷のような外傷だけではありません。後述しますが、血管内では、動脈硬化などによってできるプラーク（こぶ）も原因になります。このプラークが血流ではがれてできる傷に血栓ができるのです。

この血栓はコブ状に盛り上がって血管内を狭くしてしまうので、スムーズな血流を妨げる邪魔者になります。

血栓ができて血管が詰まったり流れが極端に悪くなると、血液は正常に流れることができなくなり、必要な酸素や栄養が、血栓の先にある臓器に届かなくなります。それが改善されないと、やがて血栓の先の臓器が壊れたり(壊死)、機能不全に陥ります。その状態が続くと、命に関わる脳梗塞や心筋梗塞のような病気を招いてしまうのです。

そこで用が済んだ血栓を処理するために、今度はプラスミノーゲンという物質が集まってプラスミンというタンパク質分解酵素を作り、これによって血栓は溶かされ、元のなめらかな血管に戻ります。

以上のように血栓を作る一連の働きを、専門的には凝固系、血栓を溶かして処理する働きを線溶系と呼びます。

多くの血栓症、たとえば脳梗塞や心筋梗塞、あるいは肺血栓塞栓症などの重篤な病気の治療に血栓を溶かす薬が使われるのは、血栓がそうした病気を招き、悪化させているからだと言えます。

出血から血管の修復まで

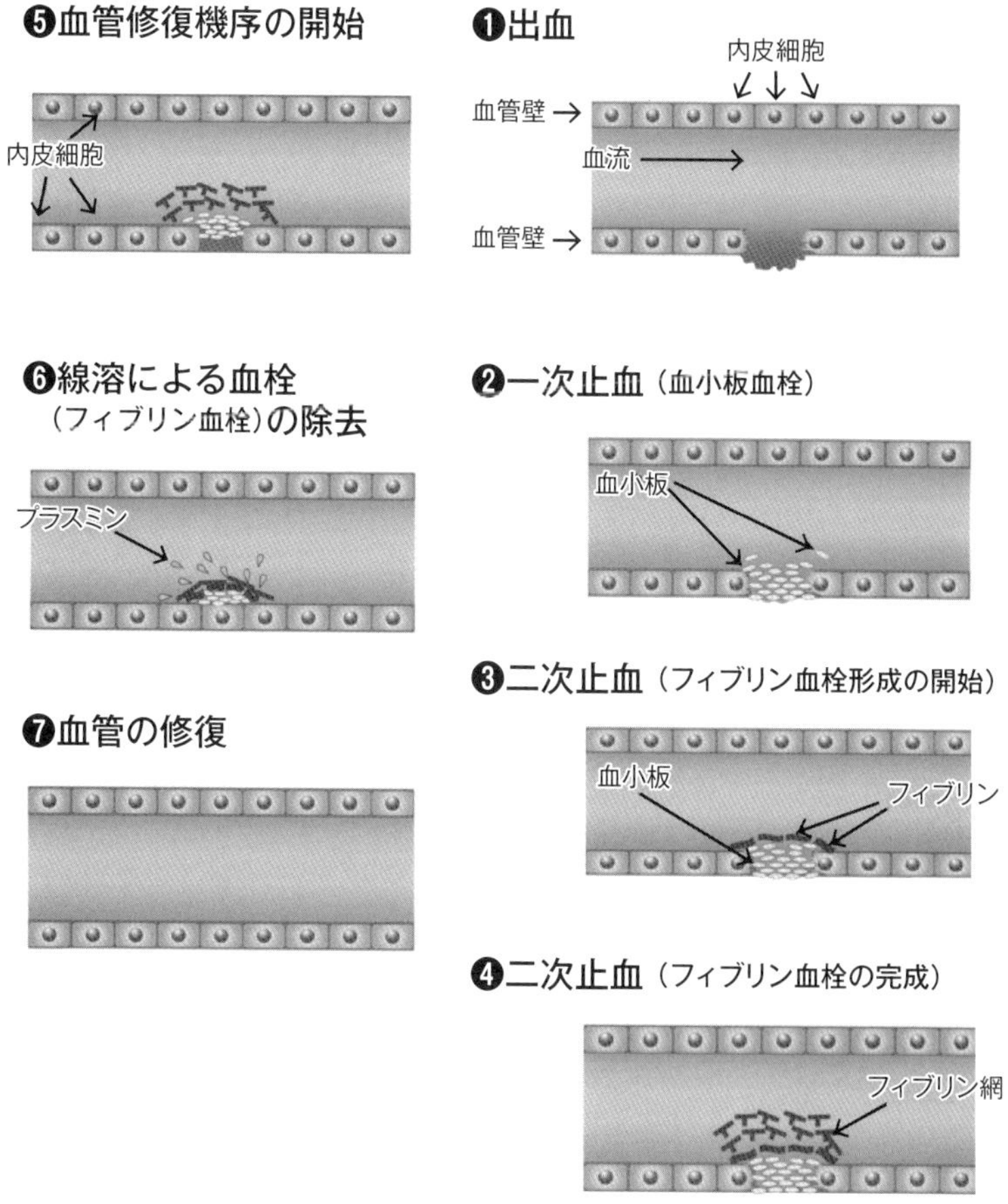

動脈と静脈は構造も働きも違う

血管内で血流が滞って血栓（血のかたまり）ができるというメカニズムは、基本的にはどこの血管でも同じです。ただ血管には動脈と静脈があるので、その違いによって血栓のでき方や発生する病気には違いが出てきます。

ここでちょっと中学の理科（生物）の時間に勉強した「血管」について思い出してみてください。

まず動脈。動脈は心臓から送り出された血液を運ぶ血管です。動脈血にはたくさんの酸素が含まれており、色は鮮やかな赤です。動脈は酸素を運びながら、途中の肝臓でブドウ糖やアミノ酸などの栄養成分を取り入れ、酸素と一緒に全身のすみずみに届けています。

心臓は血液を送り出す強力なポンプです。ギューっと縮んで血液を押し出すので、動脈はその勢いに耐えられるように、伸び縮みしやすく、かつ丈夫な筋肉でできています。

動脈が全身に運んだ酸素と栄養成分は、体の末端では細い毛細血管にバトンタッチされ、毛細血管があらゆる細胞に運びます。たとえて言えば高速道路や国道ではトラックで運んでいた荷物が、今度は人の手で細い路地を通って個々の家に届くような感じです。

静脈は動脈とは逆で、心臓に帰っていく血液を運ぶ血管です。全身の細胞から、今度は毛細血管が二酸化炭素と老廃物を受け取って静脈に渡します。そのため静脈血は鮮やかな赤ではなく暗褐色です。

静脈は、動脈にとっての心臓のようなポンプがありません。その代わりになるのが筋肉で（筋肉ポンプともいう）、我々が体を動かす時、筋肉の伸び縮みで静脈血が移動します。筋肉の動きに頼って血液を送っているので血流はゆっくりです。もし逆流したら大変なので、逆流防止弁がついているのが特徴です。

採血や血圧を計る時に腕を伸ばすと、青い血管が透けて見えます。これが静脈で、採血も静脈で行います。動脈は静脈より深いところを通っていて見えません。よく手首などを押さえて脈をとりますが、この時実際に押さえられているのが目に見える静脈ではなく、その底にある動脈です。

動脈の血栓症・静脈の血栓症

動脈は勢いよく血液が流れています。もし血管が切れたら、かなりの勢いで出血してしまいます。そのため動脈血の血小板は固まりやすい性質があり、血栓自体にも血小板がたくさん含まれるという特徴があります。

動脈で起こる血栓症は、脳梗塞や心筋梗塞です。日本人の死因になっている主な血栓症は、動脈に起こるといっても過言ではありません。

ただし静脈で起こる血栓症にも重篤なものがあります。深部静脈血栓症と肺塞栓症です。よく知られたエコノミークラス症候群は、足の深部静脈血栓症でできた血栓が血流に乗って肺に移動し、そこで血管を詰まらせて起こります。深部静脈血栓症だけで済む場合もあれば、肺塞栓症と同時に起こる場合もあります。

エコノミークラス症候群は突然死につながることもある恐ろしい病気ですが、血栓が足表面にできてそこで留まっている場合はたいしたことはありません。怖いのは同じ静脈でも下腹部や太もも、膝の中心を走る深部静脈にできた場合です。時に重症化し、大きな血栓が肺に移動すると肺塞栓症を引き起こします。

動脈と静脈では、血流の速さに違いがあり、できる血栓にも違いがあります。そのため治療が必要な場合は異なる薬が使われます。

動脈硬化の血管は古いゴムホース

さて、なぜ血管内に血栓ができるのでしょうか。打撲や外傷もないのに血液が固まるのはちょっと腑に落ちません。

血管内に血のかたまり（血栓）ができるのは、血管の動脈硬化が背景にあるためと言っていいでしょう。動脈硬化とは、血管（動脈）の壁が厚くなり、硬くなって、しなやかさが失われた状態をさします。

動脈硬化を起こした血管にたとえられるのが、古くなったゴムホースです。畑や庭に水を撒くゴムホースは、新しい時には柔らかくしなやかで、放水する時もリールに巻く時も自由自在にしなります。ところが使い始めて5年、10年とたつとゴワゴワに硬くなり、よじれて、リールにもきれいに巻けなくなります。気がつくと水道管につないだ端っこが割れて、水漏れしていたりします。

人間の血管も同様で、若い時にはしなやかで血流もなめらかですが、中高年にもなると硬くゴワゴワになり、血液がスムーズに流れなくなっていきます。血管が古くなると顔色もくすんで、首や腕、手の甲には血管が浮いてきたりします（これは動脈でなく静脈ですが）。

けれども本当の問題は血管の内側です。

ゴムホースと違って人間の血管は、外側が硬くなるだけでなく、内側に不用な脂などがこびりついて内腔が狭くなり、血流が悪くなってきます。この状態が動脈硬化であり、血栓症の土台になります。

粥状動脈硬化（アテローム性動脈硬化）のできるわけ

一般に動脈硬化といえば「粥状《じゅくじょう》動脈硬化」を指します。血管の内側に「粥状《じゅくじょう》（アテローム）」という、お粥のようなドロドロ、ブツブツしたものがたまった状態です。

粥状《じゅくじょう》動脈硬化は、主に心臓を支える冠状動脈、脳の動脈などによく起きます。その発生のメカニズムは次の通りです。

血管は多層構造になっていて、一番内側が血管内皮です。一番内側なので、常に血流にさらされています。若い時には内皮もなめらかですが、年を取るとだんだんデコボコしてきます。血圧が高くなったり、血糖値が上がったりして内皮にダメージを与えるようになるためです。食後の血糖値が高くなると、糖尿病ではなくても糖が内皮にぶつかってダメージを与えてしまいます（グルコース・スパイク）。

時にはこのダメージで内皮細胞が剥げて傷つくことがあります。

すると血液中のＬＤＬコレステロールが内皮の下に入り込むようになり、酸化して酸化ＬＤＬコレステロールに変身します。

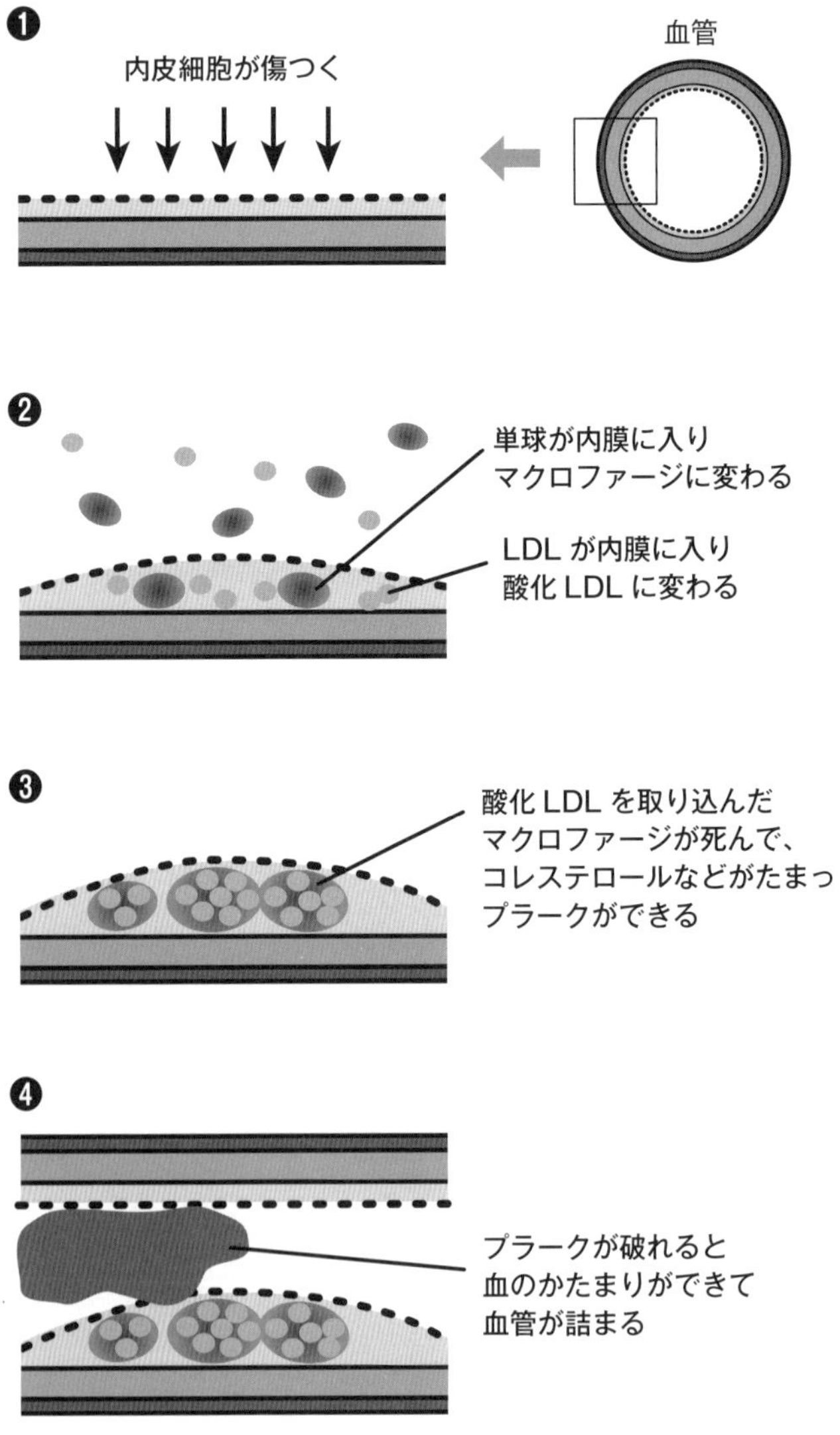
❶
内皮細胞が傷つく
血管
❷
単球が内膜に入り
マクロファージに変わる
LDL が内膜に入り
酸化 LDL に変わる
❸
酸化 LDL を取り込んだ
マクロファージが死んで、
コレステロールなどがたまっ
プラークができる
❹
プラークが破れると
血のかたまりができて
血管が詰まる

酸化したコレステロールは異物であり有害です。これに免疫システムが反応するのです。免疫細胞の一種マクロファージは、異物を処理する先鋭部隊です。内皮の下に入り込み、これを食べて処理しようとします。

マクロファージは、酸化ＬＤＬをどんどん食べてふくれ、最終的には破裂して死んでしまいます。その残骸はやはりコレステロールや脂肪です。それがお粥のようなドロドロしたもの（アテローム）になってたまっていき、血管の内側にコブ（プラーク）を作ります。

言葉を整理すると、このようにしてできた血管のコブをプラーク（粥腫）と言い、プラークができた状態を粥状《じゅくじょう》（アテローム）動脈硬化と言います。

ちなみによくいう悪玉コレステロール（ＬＤＬ）はこうして血管内皮に溜まっていきプラークになり、善玉コレステロール（ＨＤＬ）はプラークからコレステロールを抜きとって動脈硬化を解消する働きを持っています。

プラークが破れて血栓ができる

血管内に粥状《じゅくじょう》のプラーク（コブ）ができる時、粥状《じゅくじょう》のコレステロールなどは内皮の内側に溜まっていきます。プラーク（コブ）の本体は血管内皮細胞の内側にあるわけです。

このプラークで血管の内側、内腔が狭くなるので、血が流れにくくなります。すると心臓ががんばって何とか血液を流そうとするので、血圧が上がります。狭い動脈内を勢いよく血液が流れるので、プラークが傷ついて出血します。

皮膚表面でも血管の内側でも、傷ついて出血すると、修復するために血小板が集まってきます。プラークが傷ついていればそこに集まって血栓を作り、プラークがちぎれて流れてしまうと、内皮細胞の傷ついた箇所で血栓を作ります。

こうしてできた血栓によって血管内はふさがり、血流が途絶えてしまいます。その先の細胞は、酸素も栄養素も届かなくなって死んでしまいます。こうした血栓が心臓の冠動脈で起これば心筋梗塞、脳の血管で起これば脳梗塞です。

また血栓ごとプラークがちぎれると、血流に乗って移動し、その先の細い血管につまって梗塞を起こす場合もあります。

こうした大事件が血管内で起きているのに、本人は痛くもかゆくもありません。全くの無症状です。そうした中でこれが原因になり、狭心症、心筋梗塞、脳梗塞、大動脈瘤、腎梗塞、手足の壊死などに発展してしまうわけです。

血栓症が命取り？新型コロナウイルス感染症

２０１９年冬、中国の武漢で始まった新型コロナウイルス感染症は、またたく間に世界に広がりました。日本でも都市部を中心に猛威を振るい、２０２０年夏の段階でも収束の気配がありません。

未知のウイルスであるため、感染のメカニズムやウイルス自体の変異などまだまだわからないこともありますが、ウイルス性の肺炎だと思われたこの病気が、実は血栓症によって人の命を奪うことがわかってきました。

新型コロナウイルス感染症では、動脈の血栓症も静脈の血栓症も発生します。動脈では脳梗塞、心筋梗塞、四肢動脈血栓症など。静脈では深部静脈血栓症、肺血栓塞栓症などです。

深部静脈血栓症から肺血栓塞栓症に移行する、いわゆるエコノミークラス症候群はよく知られていますが、新型コロナウイルス感染症では、深部静脈血栓症がなくても肺血栓塞栓症が起きるのが特徴的です。

当初、新型コロナウイルス感染症は肺炎が病気の核心であるとされていましたが、その後、脳梗塞や心筋梗塞で亡くなる人が続々と報告され、この病気に対する認識が大きく変わりました。この感染症は、肺だけでなく全身に症状が出ること、その理由は全身の血管で起きる炎症と血栓症にあるようです。

２０２０年5月18日、日本の厚労省も新型コロナウイルス感染症に対する認識を変え、医療従事者向けの「診療の手引き」改訂版をリリースしました。これによると、「コロナウイルス感染症の重症化を見極めるためには、血管内に血栓ができているか否かを把握すること」だとしています。

免疫暴走サイトカインストームから起きる血栓症

新型コロナウイルス感染症は、なぜ血栓症を引き起こすのでしょうか。またそれは防ぐことが、あるいは治すことができるのでしょうか。

まずこの感染症は、新型コロナウイルスが人間の鼻や口から入り、主に肺の細胞にとりつくことで始まります。そうして肺の細胞内部で増殖し、細胞を壊して広がっていきます。ただ、このウイルスが感染するのは肺だけではありません。血液にのって全身に広がり、あらゆる臓器、あらゆる血管に移動していきます。そうして血管では内皮細胞に侵入します。そうしてそこで増殖し細胞を壊してさらに広がっていきます。

この時傷ついた血管を修復しようと血小板が集まり、血栓ができていきます。

おそろしいのはこのウイルスに、人間の免疫システムが猛烈に反応することです。

サイトカインストーム

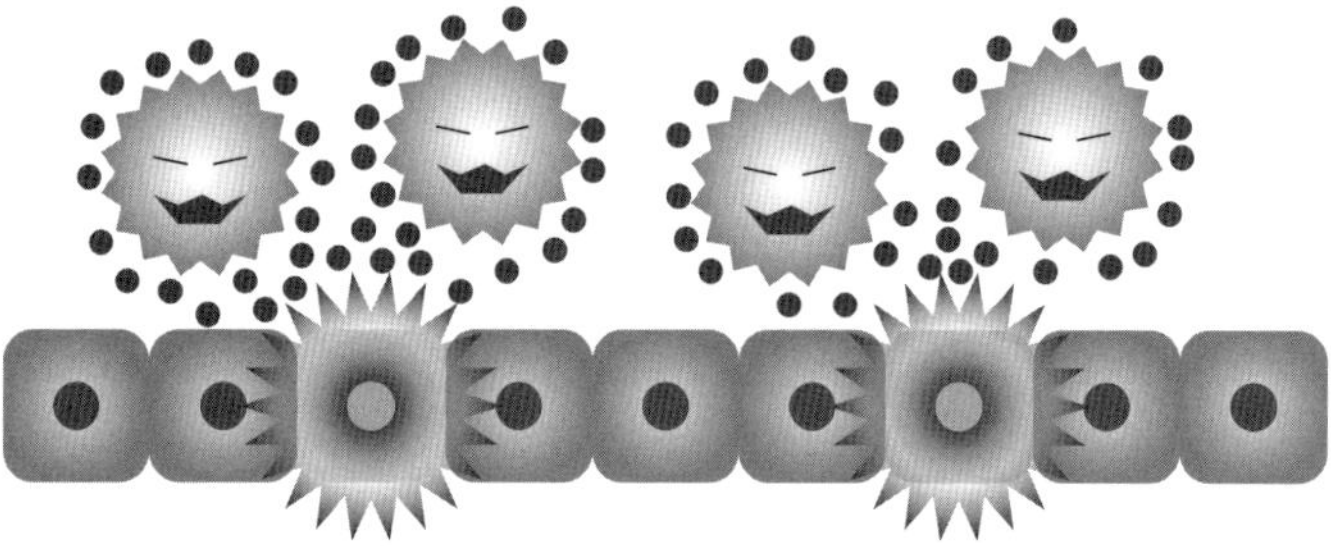

外敵であるウイルスを排除・殺傷すべく、免疫細胞が集まり、サイトカインという攻撃物質を大量に放出します。これがサイトカインストームで、ウイルス、及びウイルスが感染した細胞だけでなく正常な細胞もその攻撃をモロに受け、激しい炎症を起こすのです。

血管内では、ウイルスの増殖だけでなく免疫の暴走＝サイトカインストームによって細胞が傷つき、それを修復すべく血栓がどんどん大きくなります。こうして全身の様々な臓器、脳や心臓の血管にも血栓症ができていくというわけです。

突然重症化する理由、誰もが危険な理由

２０２０年春ごろまで、新型コロナウイルス感染症では、それまで軽症で元気だった人が、突然重症化して亡くなるという事例が衝撃をもって報告されていました。昨日までテレビで活躍していた有名人の突然の訃報に、日本中が恐れおののきました。それがなぜなのか、基礎疾患の有無や年齢だけでは説明できないとして、多くの医療従事者を悩ませていました。しかしこのサイトカインストームや血栓症に至るメカニズムによって、突然重症化する理由が明らかになっています。

新型コロナウイルスは、肺だけでなく全身の血管を傷めつけます。それによって血管が傷つき血栓症になること、そしてウイルスに感染した細胞を排除しようと免疫システムが暴走すること、それによってさらに血管が傷つき血栓症が悪化すること、このような負のスパイラルに陥り、重症化していきます。

これで、なぜ新型コロナウイルス感染症によって脳梗塞や心筋梗塞、肺静脈塞栓症等になるのかがわかりました。なぜ高齢者や既往症を持つ人だけでなく、20代～40代の健

康な人も重症化するのかということもわかってきたのです。

この病気はウイルスの感染力や有毒性、殺傷力というより、その力から身を守り、傷を修復しようとする人間の治癒力自体が脅威になる病気だと言えるようです。

治療法は少しずつ確立され、進行状況に応じて、免疫抑制剤で免疫の暴走をくい止めたり、血栓を溶かす薬で血栓症を解消するなど処置が行われています。しかし特効薬やワクチンが登場するまでは、この感染症の収束はないと考えられています。

血管疾患が重症化のリスクを高める

新型コロナウイルス感染症は、高齢者や基礎疾患のある人だけでなく、若い人でも重症化しうることがわかっています。それでも、やはり健康上の弱点を持っている人の方が、重症化のリスクは大きいと言えます。

特にこの感染症が招く血栓症を考えると、脳血管疾患、心血管疾患のある人が危険なのは言うまでもありません。その前段階、動脈硬化や高血圧、糖尿病のある人も同様ですし、呼吸器系の疾患のある人も危険因子を持っていると言えます。

２０２０年6月2日の毎日新聞朝刊によると、この感染症の重症化を招く危険因子には次のような要素があるとのことです。

アメリカの研究チームが、アジアと欧米の11か国１６９の病院に入院した新型コロナウイルス感染症の患者８９１０人（死者５１５人）を対象に、年齢、基礎疾患、薬の使用歴などと死亡リスクの関連性を調べ、アメリカの医学誌に発表しました。

それによると死亡率を高める危険因子は、まず慢性気管支炎などの慢性閉塞性肺疾患（ＣＯＰＤ）。次が心不全や不整脈などの心血管疾患です。高齢（65歳以上）であることや喫煙習慣も挙げられています。

他にも欧米の医療機関での調査で、この感染症が重症化する危険因子を調べたところ、前述の呼吸器疾患や血管疾患の他に、糖尿病や肥満が挙げられています。

日本でも同様のデータがあります。国立感染症研究所の調査結果では、この感染症が重症化した人の多くに、糖尿病や高血圧などの基礎疾患があったとのことです。

新型コロナウイルス感染症は、今人類が直面している脅威です。感染症ではあるものの、血管疾患の有無、その原因となる生活習慣の予防や改善に努めることの重要性を強く感じさせます。

第2章

血栓症（心疾患と脳血管疾患）の治療法

心疾患と血栓症

ここから血栓症とそれぞれの血管疾患について述べていきます。

まず日本人の死因の第2位である心疾患。中でも心筋梗塞は代表的な動脈の血栓症です。

心筋梗塞は、心臓の冠動脈の動脈硬化が進んで血流が悪くなり、血流が減少することで起こります。

冠動脈は、医学関係のイラストや標本でどんなものかご存じの人が多いと思います。冠動脈という名称のいわれは〝心臓を冠のように包む動脈〟という意味のようですが、冠というより細い蔦の枝が心臓を包み込んでいるような感じです。

冠動脈は、ズバリ心臓のための血管です。心臓の太い大動脈から伸びた細い動脈は、ふだんはせっせと心臓に血液を送って、休みなく働く心臓の活動を支えています。

この冠動脈を流れる血流が不足すると「心筋虚血」という状態になり、胸に強い痛みや圧迫感を感じるようになります。これが狭心症です。ただしこの症状は、長くても

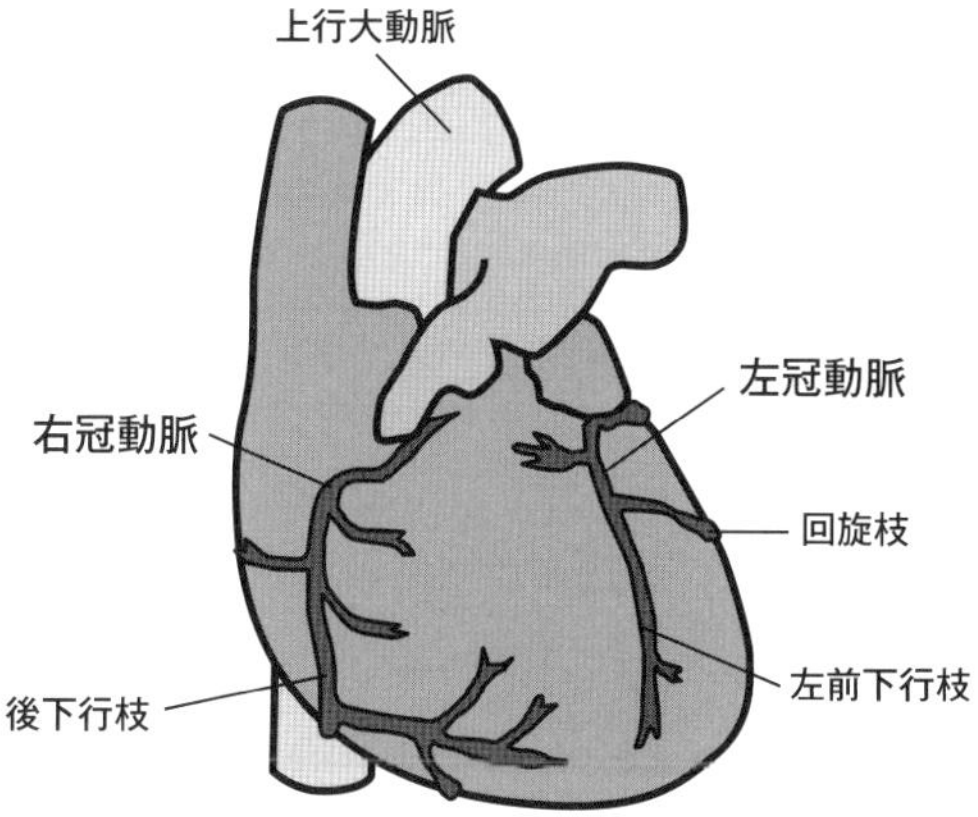

15分以内に治まります。

冠動脈がさらに狭くなって「完全にふさがって血液が通じない」状態になると、今度は心筋細胞が壊死し始め、症状も長時間続くことになります。この状態が急性心筋梗塞。一刻を争う緊急事態です。

よく「虚血性心臓疾患」といいますが、これは狭心症と心筋梗塞をまとめた呼び名です。

ちょっと前のデータですが（厚労省・平成11年の患者調査）、急性心筋梗塞の患者数は約8万2千人。うち亡くなるのは約3万7千人です。半数まではいかないものの、発症すると極めて死亡率が高いことは今日でもあまり変わりません。

狭心症とはどんな病気か

虚血性心疾患についてもう少し詳しく見てみましょう。まず狭心症について。

心臓という臓器は、毎日10万回の拍動を打っています。けれども拍動は決して一定ではありません。われわれが眠っている時、心臓もゆっくり動いてゆっくり血液を送り出しています。くつろいでいる時、身体はそれほどたくさんの血液を必要としないので、心臓もそれほど頑張らなくてもいいわけです。

しかし階段を駆け上がったり、ジョギングをしたり、重い荷物を運んだりする時には、心臓も激しく拍動し、大量の血液を一気に送り出しています。われわれの活動に応じて、心筋が心臓を激しく動かしたりゆっくり動かしたりしているのです。

心筋が激しく活動している時には酸素もたくさん必要なので、冠動脈もたくさん血液を届けています。これが臨機応変にできているということは、心臓も心筋も冠動脈も健康な証拠です。

しかし冠動脈に動脈硬化が起こっていて、内部が狭くなっているとどうなるでしょう。われわれが急いで走り出したとして、充分な血液が送られなければ血液が足りない「虚血」という状態になり、激しい痛みが発生します。よく「締め付けられるような激しい痛み」と言われます。繰り返しますがこれが狭心症です。

狭心症と心筋梗塞は、いずれも心臓の冠動脈に起こる動脈硬化が原因です。動脈硬化によってある程度は血管が詰まっても、自然に回復する力が残っている場合が狭心症、そうした力が残っていないのが心筋梗塞です。どちらも命に関わる病気ですが、回復力のない心筋梗塞の方がより深刻なのは言うまでもありません。

寝ている時に起こる、みぞおち、肩、背中が痛む狭心症

狭心症は心臓の病気ですが、痛む場所は心臓のある左胸だけとは限りません。確かに心臓は胸の中央から左よりにあるので、その付近が痛む人が多いです。しかし、関

連痛と言って、奥歯やのど、肩、腕、みぞおち、背中などに痛みを感じたり、人によっては肩こりや胸焼けになる人もいます。

こうした現象は、歯科医の間ではよく知られており、心臓性歯痛などと呼ばれています。歯に異常がないのに歯痛を訴える患者の中には、狭心症など心臓疾患が原因である場合があり、しかも胸痛が全くない場合もあるようです。

狭心症は、どんな時に症状が起こるかでタイプ別に分けられています。それほど激しい運動でなくても起こることがあります。たとえば、夜ゆったり眠って、朝急いで活動に入る通勤時など、静から動に変わる時によく起こります。急に心筋が必要とする血液量が増える時に起こるので「労作性狭心症」といいます。

逆に、それほど血液を必要としない就寝時など、冠動脈が痙攣を起こして発作が起こるものを「安静時狭心症」といいます。

命に関わる急性心筋梗塞の発作

狭心症の痛みはたいてい激しいものですが、通常は数分、長くても15分程度で治まるものです。しかし30分以上痛みが続き、ニトログリセリン（狭心症の頓服薬）も効かないのであれば急性心筋梗塞を疑った方がいいでしょう。

急性心筋梗塞の痛みは「万力でしめられたよう」「象に踏まれたよう」などと表現される激烈なもので、間違いなく「死の恐怖」を感じると言われます。

しかし問題なのは痛みだけではありません。痛みの原因である冠動脈が閉塞し、血流が止まってしまうことは大問題です。そうなれば心臓を動かしている心筋に酸素がいかなくなり、やがて心筋は壊死していきます。

心筋は体内でもっとも酸素を使う臓器です。心臓は、いわば筋肉でできた血液の袋です。心筋はその袋の中の血液からは酸素を補給することができません。心臓が送り出した血液が冠動脈を経て心筋に流れることにより、はじめて心筋は酸素を補給することができるのです。心筋が壊死すると、いくら心臓の中に血液がたくさん入っていようと、その血液に酸素が潤沢にあろうと、その血液から酸素を補給することができません。心臓を充分に動かすことができなくなり、全身に送り出す血液が不足します。この状態が心臓全体の不調であり、心不全です。

心不全になると心臓の働きが著しく低下し、全身に血液を送ることができなくなります。脳にも血液が供給できなくなります。

また壊死した筋肉は治療しても生き返りません。これが心不全の治療の難しさです。急性心筋梗塞は、発症した患者のおよそ40％が2日以内に命を落とすと言われています。

そうなる前に、急性心筋梗塞の発症の時点で一刻も早く受診し、心臓機能を回復させなければなりません。

15分以上激しい痛みが続く場合は緊急事態ですので、ためらわず１１９番に電話しましょう。

狭心症と心筋梗塞の治療

狭心症と心筋梗塞は、心臓の冠動脈の病気であり、合わせて虚血性心臓疾患といいます。狭心症は、冠動脈の血流が悪くなり、心臓が一時的に酸欠状態になる病気。心筋梗塞は、冠動脈が詰まってほとんど血流が止まってしまい、酸欠から心筋の一部が壊死（死滅）するほど悪化した病気です。

つまりこの2つの病気は関連性があり、狭心症が悪化すると心筋梗塞になると考えていいでしょう。従って狭心症の場合は、これ以上、血管が詰まる前に治療を行うことが大切です。

ただし狭心症でない人が突然心筋梗塞になる場合もあり、狭心症ではないからといって心筋梗塞にならないわけではありません。

狭心症の治療

・薬物療法

狭心症の薬は、冠動脈を広げて血流をよくする血管拡張薬と、交感神経の活動を抑え、血圧や脈拍を抑えて心臓の負担を減らすベータ遮断薬などがあります。また冠動脈に血栓ができることを防ぐためアスピリンが処方されます。アスピリンは鎮痛剤として有名ですが、同時に血小板の活動を抑えるので血栓ができにくくなる薬です。

狭心症の発作止めとして有名なのがニトログリセリンです。この薬は胸の痛みなどの症状が出た時に使うと、数分で治まります。ただし症状が治まらない場合は心筋梗塞の発作の可能性があるので、すぐ医療機関を受診しましょう。

・手術療法

狭心症の治療は薬物療法が基本ですが、薬だけでは症状がコントロールできなくなった場合、手術療法を行う場合もあります。

狭心症の手術は、動脈硬化で狭くなった冠動脈を広げる手術で、カテーテルを血管から挿入して行います。カテーテルの先についたバルーンを膨らませて狭くなった部位を広げますが、充分でない場合は網の目状の金属でできたステントを入れて永久的に広げます。

心筋梗塞の治療

・迷うことなく救急車

心筋梗塞のほとんどは、突然胸の激痛に襲われる急性心筋梗塞です。気がつかないうちに少しずつ血管が詰まる急性とは言えない心筋梗塞もありますが、ここでは圧倒的多数である急性心筋梗塞について述べます。

急性心筋梗塞は、突然の激しい胸痛で始まります。その強烈さは、「象に踏まれたよう」と表現されるような、これまで味わったことのない、明らかに死の恐怖を感じるほどの痛みです。息苦しさ、吐き気、冷や汗なども伴います。

そうなったら決して我慢せず、すぐに119番です。自分で運転して病院に行くなどと考えず、救急車を呼んでください。

急性心筋梗塞の治療は一刻を争います。心臓の冠動脈が詰まってしまうと、心室細動などの致死性不整脈が発生して心停止を引き起こす可能性が高くなります。そうなると血流が止まった筋肉細胞が壊死し始めます。

壊死した細胞（心筋の細胞）は、もはや再生しません。治療が遅れると重い後遺障害が残ってしまいます。しかし発作が起こってから2時間以内に適切な治療を行えば、後遺症は残らないとされています。

強烈な発作が起こったら、「これは心筋梗塞かな、違うかな」などと迷うことなく、救急車を呼びましょう。

・2時間以内に血流を再開させる

《カテーテル手術》

医療機関では、多くの場合、狭心症同様カテーテル手術を行います。できるだけ早く、詰まった冠動脈を開いて血流を再開させるためです。しかし狭心症のような時間的な猶予は心筋梗塞にはありません。治療の目標は発作が起きてから2時間以内。2時間以内に血流を再開すれば、後遺障害が残らないとされています。

カテーテル手術は局所麻酔をして行うので、管が入った後は痛みもほとんどなく、心臓付近を管が通っていても気がつかないほどです。手術時間も1〜2時間ですみ、入院も数日と短くて済みます。開胸手術に比べれば驚くほど負担がなく、しかも回復も早い治療法だと言えるでしょう。

以前はカテーテル手術で血管内に留置したステントが体の拒絶反応に合い、再び血栓ができて血管が狭くなるということが起きていました。そこで近年は、留置したステントから、少しずつ薬が溶けて血栓を作らないようにする治療法も採用されています。

動脈硬化が進行すると、血管壁にできたプラーク（コブ）が石灰化し、硬くなることがあります。そうなるとカテーテルを通してバルーンを膨らませても、血管が膨らみません。

そこでこの石灰化したプラークを削るのが、カテーテルの先に装着するロータブレーターという機器です。この機器は先端部がダイヤモンドでできていて、回転しながらドリルのようにプラークを削ることができます。

硬いプラークがなくなれば、後はステントを入れるなど、必要な治療ができるようになります。しかし高度な技術が必要な手術でもあります。

《バイパス手術》

心筋梗塞の手術療法にバイパス手術があります。

この手術は、血栓で詰まってダメになった箇所に血管でバイパス（迂回路）を作る方法です。〝代わりの血管〟になるのは、本人の肩や首、足の付け根などから摘出した血管です。もちろんそこから血管をはずしても、他の血管が自然に代わりを果たしてくれる部位が使われるので心配はありません。

詰まった箇所が丸ごとなくなるので、血栓による詰まりは〝なかったこと〟になります。カテーテル手術には、再び血栓ができるリスクがありますが、バイパス手術にはそれもありません。

以前、バイパス手術は、本人の心臓をいったん停止させ、代わりに人工心肺装置を使って血流を維持して行われていました。この方法では他の臓器に負担がかかるなどのリスクがありました。

最近の主流はスタビライザーという器具を使う方法で、心臓を止めなくても手術ができるようになりました。安全性が高まったことで、高齢者でもバイパス手術を受ける人が増えています。ただバイパス手術は開胸して行うので、カテーテル手術に比べると体への負担は大きくなります。入院期間も数週間になり、回復にも時間がかかります。しかし手術が成功すれば、再発も極めて少ない有効な治療法です。

カテーテル手術にするかバイパス手術にするかは、どの冠動脈でどんな血栓ができているかによります。また本人の年齢や体力、合併症の有無にもよります。

《薬物療法》

心筋梗塞を起こしている場合の治療に、薬物療法があります。血栓を形成するのは血液を固まらせる血小板や凝固因子なので、これらの働きを抑える薬を使います。従って抗血栓薬は、血小板の働きを抑える抗血小板薬と、凝固因子の働きを抑える抗凝固薬の2種類があります。

急性心筋梗塞の発作では一刻を争うので、血栓を溶かす薬が優先的に使われます。使われるのは脳梗塞と同じで、血栓を溶かし、新たな血栓をできにくくする薬です。最近、多く使われているのはｔＰＡという薬です。この薬は人の血液中に存在する組織プラスミノーゲンアクチベーター（ｔＰＡ）と同じもので、人工的に合成された薬です。

投与方法は静脈注射か、カテーテルで直接冠動脈へ流し込む方法のどちらかで行われ、血栓を溶かして血流を再開させます。

血栓症と脳血管疾患

脳で起こる血栓症は寝たきりの最大の原因

日本人の死因で、心疾患についで多いのが脳血管疾患です。ここまで述べてきたように、心疾患と脳血管疾患は、どちらも血管の動脈硬化があり、血栓症に至って発症する病気が多いことが共通しています。どこに発症するかで病名が変わり、症状や治療法が変わるということです。

脳血管疾患には色々な病気がありますが、昔からよく言われるのが脳卒中です。「○○さんのおじいさんが脳卒中で亡くなった」日本では、こうした会話が昔からよく交わされていたものです。しかし脳卒中とはどんな病気でしょう。

実は〝脳卒中〟という病名の病気はありません。「卒」には突然に、「中」には当たる、という意味があります。脳卒中とは、ふだん元気な人がある日突然倒れ、そのまま帰

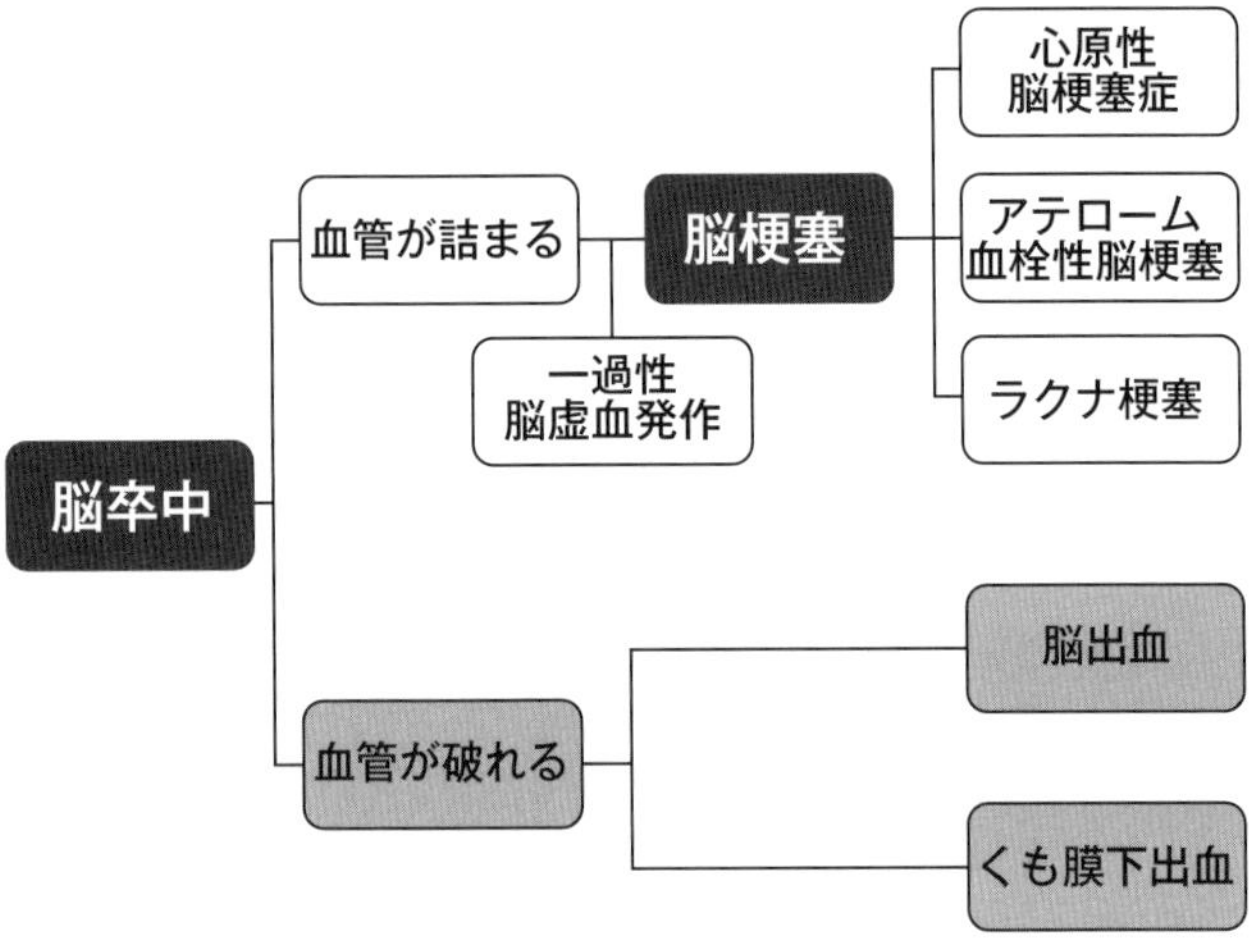

らぬ人になってしまうといった意味がありました。その突然の死が、まるで何かしらの病魔に「当たった」かのようなイメージから「卒中」という言葉になったのでしょう。

今でこそ救急治療によって多くの人が一命を取り留めるようになりましたが、昔は卒中になったら終わり。運よく生き延びても、寝たきりになったり、麻痺が残って以前のように話したり歩いたりできなくなる人が多かったのです。

今日、脳卒中は脳血管疾患とほぼ同じ意味で、脳の血管にトラブルが起きて発症する病気の総称です。具体的には脳梗塞、脳出血、クモ膜下出血の３つです。これらは脳の血管が破れるか、詰まるかで発症する病気です。これらの病気は、今でもある日突然発症し、命を奪うことのある病気です。

脳卒中は日本人の要介護原因1位、「寝たきり」原因の第1位

脳の血管が破れるか、詰まるかの違いはありますが、脳卒中の病気である脳梗塞、脳出血、クモ膜下出血は、ひとたび発症すれば、最悪の場合死に至ります。助かっても全身～半身麻痺になる場合も少なくありません。自立した生活をあきらめなければならないケースもあります。

厚生労働省の調査によると、日本人の要介護状態になる原因の1位は脳卒中（脳血管疾患）で、要介護全体の18・5％。要介護の5人にひとりは脳卒中です。

要介護原因

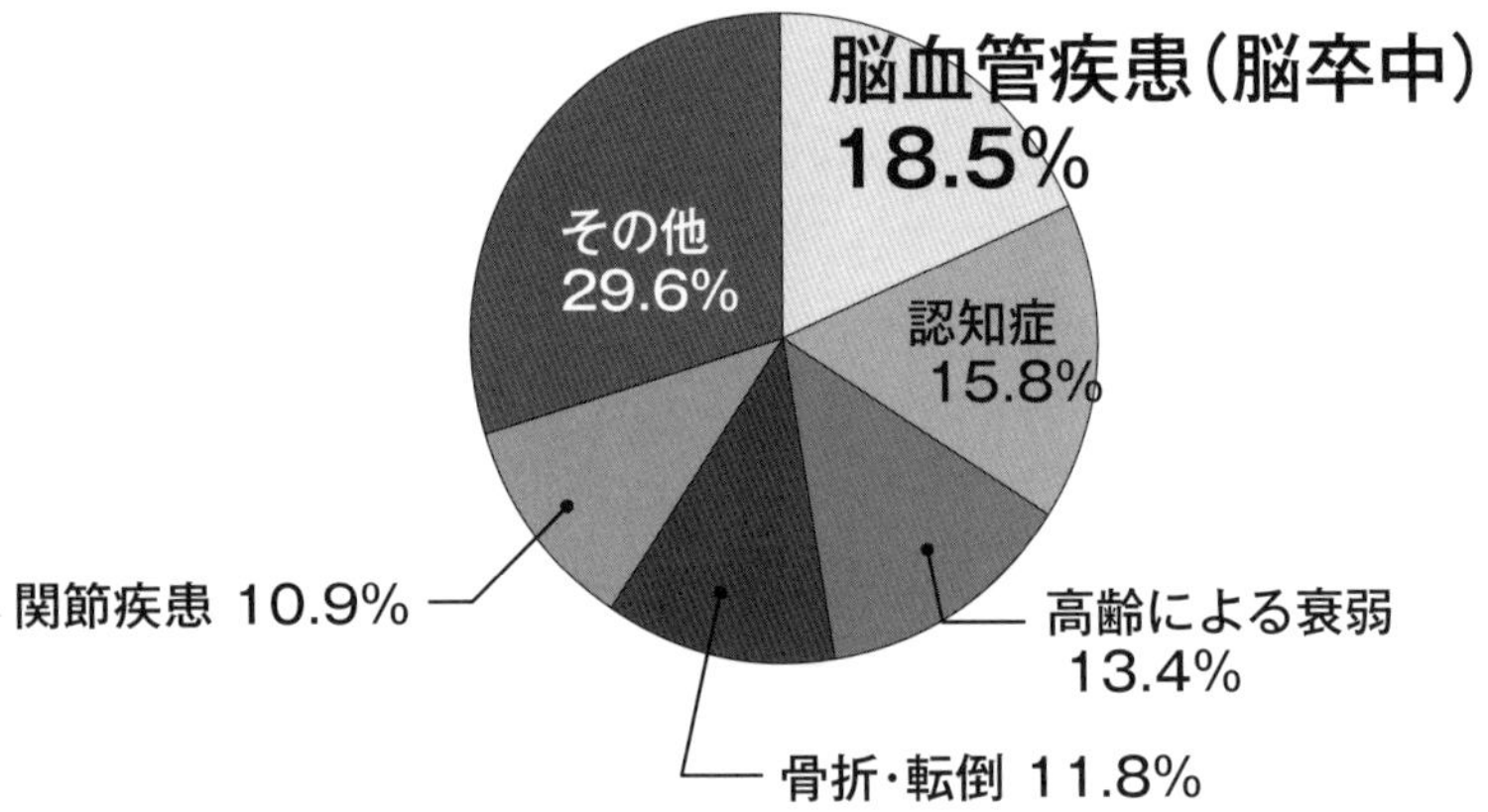

厚生労働省「平成25年国民生活基礎調査の概況」より

さらに「寝たきり」の原因でも第1位は脳卒中と言われています。

実は国全体の調査で「寝たきり」という項目はありません。あるのは要介護度別の調査です。介護度には要支援2段階から要介護5段階、計7段階あります。最も重い方から要介護5、要介護4です。その基準は次の通りです。

要介護4　寝返り、両足で立つ、移動、洗顔、洗髪に介助が必要。

要介護5　日中ベッドの上で過ごし、排泄、食事、着替えにおいて介助が必要。

この2つの段階がほぼ寝たきりとすれば、いずれもその原因は30％以上が脳卒中

要介護４以上

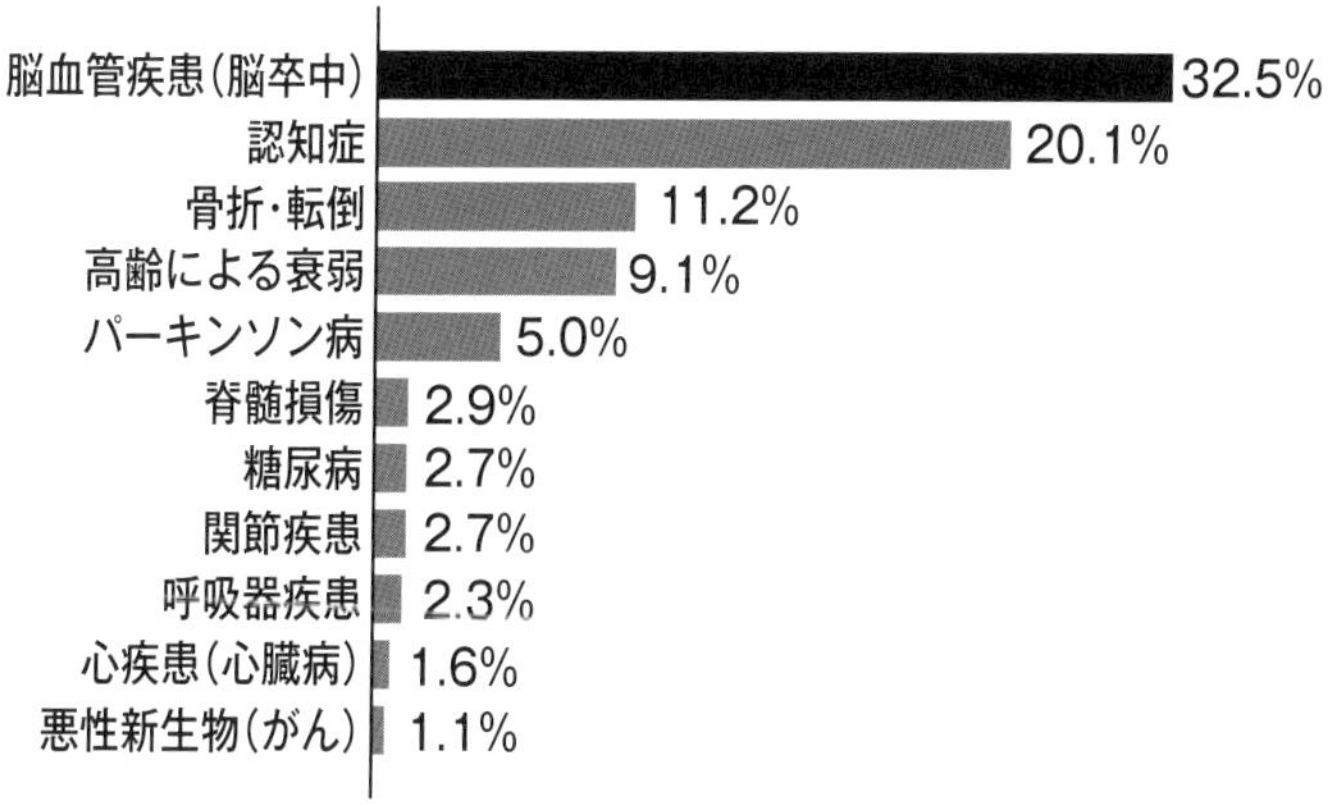

です。

要介護全体とすれば最も多い原因は認知症ですが、介護度が重くなると脳血管疾患（脳卒中）の方が多くなるわけです。ちなみに2位は認知症、3位高齢による衰弱・老衰と続きます。

「寝たきり」はある日突然

みなさんは、「寝たきり」とはどのような状態か、考えたことがあるでしょうか。

1人では起き上がることも、歩くこともできない。食事も排泄もベッドの上。人に頼らなければ何一つできない。麻痺のため満足に話もできない。丸1日、天井や壁を眺めて暮らす。そんな生活を想像したことがあるでしょうか。

現実にそうした状況にある人が、日本にはどのくらいいるのでしょう。２０１３年の時点で、「要介護5」（寝たきりの状態）に認定されている65歳以上の人は58・6万人です（厚労省「平成28年版高齢社会白書」）。データによるとその3割、およそ20万人が、前触れもなく、ある日突然、そうなってしまったのです。

「寝たきり」の最大原因である脳卒中は、ある日突然発症します。本当は脳内に少しずつ脳梗塞ができている人が多いのですが、病気としての発症は誰もが突然です。昨日までピンピンしていた人が、ある日を境に突然寝たきりになってしまうのですから、本人もたとえようのないショックを受けますし、家族にとっても大打撃です。

「寝たきり」は、本人とっては想像を超える不自由と苦痛を伴う生活を意味します。それを支える家族の負担は、肉体的にも、精神的にも、経済的にも大変に重いものです。それが何年も続くとしたらどうでしょう。

そうならないためにはどうしたらいいか。それはそうなる前に対策をたてることしかありません。

増え続ける脳梗塞

脳卒中は、脳梗塞、脳出血、くも膜下出血の3つですが、年々増えているのが脳梗塞です。脳卒中を発症する人の6割～7割が脳梗塞と言われています。

昔は脳卒中といえば脳出血（昔は脳溢血と言った）が多く、一度かかったら死亡率も高いものでした。前述したように「脳卒中で亡くなった」と言えば、脳出血であることが多かったようです。

脳出血の最大の原因は高血圧です。今日、高血圧の原因が広く理解されたため、塩分の摂りすぎを止め、食事やライフスタイルを改善するなどで血圧のコントロールができる人が増えています。そのため脳出血で亡くなる人が減りました。

一方、食生活の欧米化で、我々日本人は動物性の脂肪をたくさん摂るようになっていいます。血管を詰まらせる血液中のコレステロールや中性脂肪が増え、糖尿病など血液や血管の状態が悪い人が増えてきました。そのため血管で動脈硬化が起きている人が増え、脳梗塞が増えてしまいました。

さらに動脈硬化は加齢によっても進行するので、高齢化する日本では脳梗塞になる人はさらに増えると考えられています。

高齢者に限らず、中高年世代も、食事など生活習慣が動脈硬化を招きやすい傾向があります。実際に30代から動脈硬化は広がっており、若くして脳梗塞を発症する人も目立っています。

詰まる血管によって異なる脳梗塞

脳内の血管が細くなり、血栓ができて血管が詰まってしまうのが脳梗塞です。脳の動脈が詰まると血液はそこで遮断されるため、詰まった血管の先の細胞に酸素や栄養が行き渡らなくなります。その結果、脳の細胞が壊死してしまい、さまざまな障害が生じるのが脳梗塞です。

脳梗塞は、血管の詰まり方、血栓のでき方でいくつかに分類されます。

まず首や脳の比較的太い血管で動脈硬化が進行して血栓ができる「アテローム血栓性脳梗塞」、脳の奥の太い血管から枝分かれした細い血管が詰まることで起こる「ラクナ梗塞」、脳ではなく心臓の中にできた血栓が脳の血管に運ばれて血管を詰まらせることで起こる「心原性脳塞栓」の３つです。

大脳の血管は表面だけでなく奥深い内部まで細かい血管が複雑に入り組んでいます。

脳の大きな動脈は前、中、後の３種類あり、それぞれ前大脳動脈、中大脳動脈、後大脳動脈といい各2本ずつあります。この中でも中大脳動脈は脳の底から大きく曲がり、入り組んだ血管に分岐していくため、構造的に詰まりやすくなっています。人間の体は驚くほどよくできていますが、なぜ大切な脳の血管がいびつなほど曲がって詰まりやすくなっているのでしょう。そこには人間の進化の歴史が絡んでいるようです。

太古の昔、人類がまだ類人猿だった時代、4足歩行から2足歩行に変わった時期があります。視野が広がり見晴らしがよくなった半面、腰や首などの負荷が重くなり、中大脳動脈は重い大脳に圧迫されるような形になってしまいました。詰まりやすいのは宿命だといいます。

脳梗塞が多いのは、人類が二足歩行に進化したことの負の一面と言っていいでしょう。

【アテローム血栓性脳梗塞】

アテロームとは、動脈硬化の項で説明した粥状《じゅくじょう》動脈硬化のことです。脳の血管が硬くなったところに、血液中にだぶついたコレステロールや中性脂肪などが垢のように内壁に付着して、血管をふさいでしまう状態を言います。

後述のラクナ梗塞は、太い動脈から枝分かれした細い血管で起こる脳梗塞ですが、アテローム血栓性脳梗塞は太い動脈、例えば直径5～8ミリ程度の中大動脈や頸部の頸動脈、椎骨動脈の動脈硬化が進行して発症します。血栓ができて血管が閉塞したり、血管壁から血栓が剥離し、毛細血管を閉塞させることにより発症します。

太い動脈が詰まるので、多くははじめから重症化します。

動脈硬化の進行には、高血圧、糖尿病、高脂血症、あるいはこれらが複数組み合わさったメタボリックシンドロームが関わっています。

自覚症状としては、突然「一時的に片目が見えなくなる」、「片側の顔面の麻痺」、「片側の手足の運動麻痺」、「言葉が話せなくなる」、「意識がなくなる」、「舌がもつれる」といったものが多いです。

これらの症状は一時的に起こって消失する場合もあれば、持続することもあります。持続していれば本人も周囲も異変に気づき、急いで病院を受診するでしょう。けれども一時的に言葉が話せなくなっても、じきに元通りになれば放置されてしまうことが多いようです。これがとても怖いのです。

あれ、と思うような異変があれば、脳梗塞の前段階かもしれないという認識を全ての人に持っていただかなければなりません。

アテローム血栓性脳梗塞は、コレステロールや中性脂肪の高い人がなりやすいと言います。やはり食事の欧米化で、脂っこいものをたくさん食べるようになったことが大きな原因のひとつと考えられています。

【ラクナ梗塞】

「ラクナ」とはラテン語で「小さなくぼみ」という意味です。日本人に一番多い脳梗塞で、脳梗塞の4割はラクナ梗塞と考えられています。

脳の深い部分に血液を届ける直径1ミリ以下の細い血管に起こります。この血管が詰まった場合、壊死するのは最大でも1・5センチと狭いことから、繰り返し起こっても放置されるケースが少なくありません。

梗塞が起こる場所は、脳の細い血管です。脳に入った太い血管、たとえば前述の中大脳動脈は、細い血管に枝分かれして脳の奥深く入っていきます。狭く細い血管は詰まりやすいため、梗塞自体も小さいのですが、何回も起こりやすいのが特徴です。細い血管にも動脈硬化は起こります。太い血管と違って突然大きな発作が起こることは少ないですが、繰り返すとやがて大きな発作につながることがあります。

症状は、脳のどこにどのくらいの範囲で血管の詰まりが発生するかによりますが、しびれや小さな麻痺、めまい、吐き気、ろれつが回らないなど様々です。全くの無症状という人もいます。

気づかないまま血管が何か所も詰まると、やがて次に述べるアテローム血栓性脳梗塞を発症したり、脳血管性の認知症（アルツハイマー病に次いで多い）やパーキンソン病になる可能性が高まります。

自覚症状に基づいて検査を受けてわかる場合もあれば、脳ドックなどで発見されることもあります。

【心原性脳梗塞】

脳梗塞ではありますが、原因は心臓にできた血栓です。心原性脳塞栓症とも言います。心臓にできた血のかたまりである血栓が、心臓の拍動で押し出されて脳まで届き、太い血管を詰まらせて発症します。

健康な心臓の拍動は、平常時は一定です。一定のリズムを刻んで収縮・拡張し、一定量の血液を全身に送り出します。このリズムが乱れるのが不整脈で、心臓の収縮が不規則になります。

心臓は、脳から指令が来て拍動するのではありません。自律的に動いています。心臓には右心房というところに心臓を動かす発電所のようなものがあります。ここから微弱な電気信号が出て、この刺激で心臓は動いているのです。ところがここと は異なる心臓の別の場所から不規則な信号が発生し、拍動が打ったり打たなかったりと不規則になるのが不整脈です。心臓の収縮が不規則になるので、血圧や血管にも悪影響を及ぼしますし、心臓の中に血栓を作りやすくなってしまいます。

心房細動とは何か

「心臓の拍動」イコール「脈」です。脈は1分間に50回〜70回、規則的に拍動するのであれば正常です。脈は運動や体調によって多くなったり（頻脈）、少なくなったり（徐脈）します。また脈が不規則で、タイミングがずれている状態を期外収縮といいます。期外収縮のうち、左心房内の肺静脈付近で発生する細かい電気信号で起こるのが心房細動です。

心房細動は一種の老化であり、40代、50代になればほとんどの人に認められます。何も症状がない人もいますが、胸が詰まるような感じや脈が飛ぶ感じのある人も少なくありません。突然胸がドキドキ、バクバクしたり（動悸）、脈のリズムが乱れていると感じる人もいます。

心房細動が頻繁に起こると、心臓は一定量の血液を送り出すことができなくなり、古い血液が心臓内に残されることが増えます。残った血液は次第に古くなり、固まって血栓になります。大きな血栓が何かのきっかけで心臓から押し出され、首の動脈を通って、血流の多い脳に向かい、脳の大動脈を詰まらせてしまうのが心原性脳梗塞です。
脳梗塞の中でも最も重い病気であり、治療が遅れると命に関わります。発症すると、その6割が寝たきりか死に至るという恐ろしい病気です。

読売ジャイアンツの終身名誉監督である長嶋茂雄氏が発症したのが、この心原性脳梗塞です。長嶋監督はその後、麻痺が残っているようですが、その後も精力的に活動し、〝奇跡の回復〟と言われています。

（補注）

以前脳梗塞は、脳血栓症と脳塞栓症に分けられていました。脳血栓症は、脳内の血管が動脈硬化で細くなり、最後に詰まってしまうもの。脳塞栓症は、脳以外の場所（心臓など）から血栓が流れてきて、脳内の血管で詰まるものです。

今日では脳梗塞を原因によって3つに分類しています。細い血管の大元である太い血管が詰まるアテローム血栓性脳梗塞、細い血管が多発的に詰まるラクナ梗塞、そして心臓からの血栓が詰まる心原性脳塞栓症の3つです。日本での、それぞれの脳梗塞の発生頻度は各3割ずつです。

突然、人が倒れた。どうすればいい？

たった今まで元気だった人が、突然倒れこむ。緊急事態です。間違いなく急病です。それが脳卒中か否かは別として、一体どうすればいいのでしょう。

真っ先にやるべきなのは１１９番通報です。状況を説明し、救急隊員に何をすべきかの指示を仰ぎます。

救急救命法を学んだことのある人でなければ、呼吸や心臓の鼓動の有無の確認方法もわからないかもしれません。心臓マッサージも難しいでしょう。１１９番に対応した救急隊員の指示に従うことがベストの対応になります。

唯一やってはいけないことは「倒れた人を動かさず、安静にして様子をみる」ことです。これはダメです。万一脳卒中や心筋梗塞だった場合、一刻も早く治療しなければなりません。一昔前は「動かすと悪化する」「安静にする」といった対応がよいという説がありましたが、全く根拠のない話です。

そしてひとりで対処するのではなく、周囲の人に助けを求め、救急車が来るまでできる救命を行います。ＡＥＤ（Automated External Defibrillator／自動体外式除細動器）を持ってきてもらったり、近くに医療機関があれば助けを呼びに行ってもらいます。

ただし脳卒中の場合、外で倒れる人はそれほど多くありません。多くは自宅などの建物内で、ちょっと様子が変だとか、ちょっと違和感を感じる程度の症状で始まることが多いです。

脳卒中の前触れ

脳卒中の発作が起きる前には、その前触れとも言える症状が起きることが多いです。例えば「話していてロレツが回らなくなる」「食事をしていて箸を落とす（うまく拾えない）」「顔半分とその反対側の手足の感覚がおかしい」「人の言うことが理解できない」「言いたいことが言えない」「視野の半分が欠ける」「モノが二重に見える」「片方の目に突然幕が掛かったように見えなくなる」「身体の片側に力が入らず歩けない」「突然

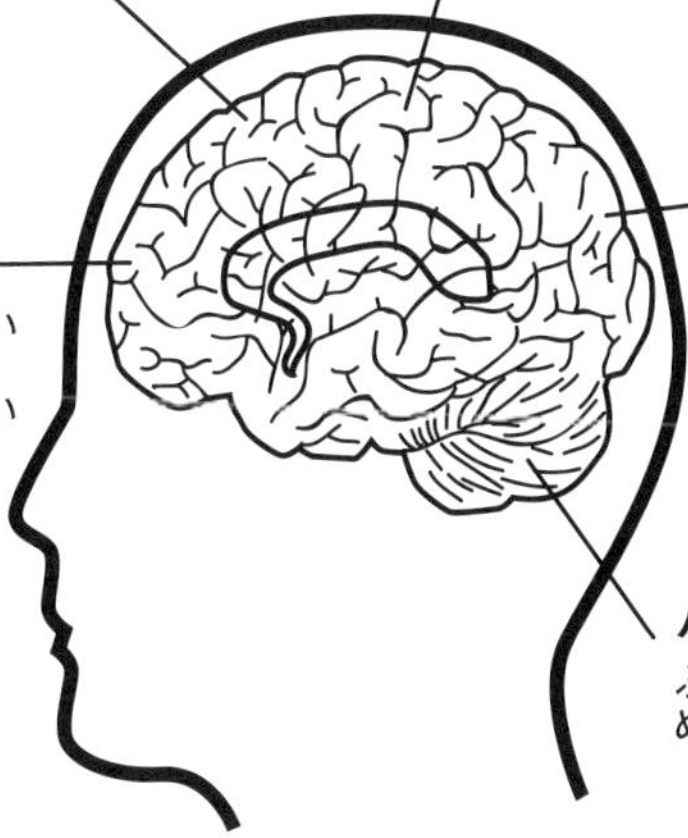
運動障害
身体の半身に力が入らず、
物を落としてしまう
感覚障害
身体の片方がしびれる
視覚障害
物が二重に見える
片側が見えない
言語障害
ろれつがまわらない
舌がもつれる
言葉が上手に出ない
バランス感覚障害
ふらつく
めまいがする

の激しい頭痛」「意識がなくなる」「突然興奮し暴れる」「ひどいめまい」「痙攣」などです。

人間の脳と首から下の身体の神経は、左右が交差しています。脳の左側が身体の右半分を、脳の右側が身体の左半分を支配しているので、脳の左右どちらで出血や梗塞が起きたかが、身体の症状の表れ方でわかります。左の脳で異常が起きたら右側の手が上がらなかったり、右の脳で異常がおきれば左の手に力が入らないなどです。

しかし、実際の前触れ発作は、ロレツが回らない、頭痛や吐き気など左右

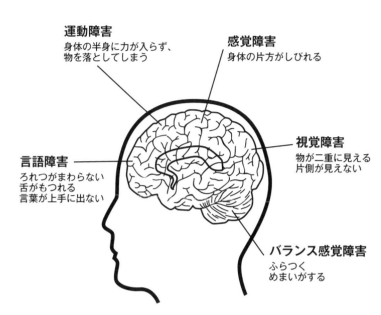

には関係ないものもたくさんあります。

脳と左右の関係にこだわらず、異変の特徴を覚えておきましょう。

いったん症状が消える一過性脳虚血発作

ところがこうした前触れ症状が、何事もなかったかのように消えることがあります。いったん血栓ができて血管が詰まったものの、血流で押し流されるか何かして再び開通するパターンです。症状が消えてしまうと本人も安心してしまい、それきり通常の生活に戻ってしまいます。

しかしこうした発作は、その後の脳卒中の前兆です。多くは48時間以内に再び、今度は大きな発作を起こすことが少なくありません。こうした脳梗塞の前触れ発作を一過性脳虚血発作といいます。

一過性脳虚血発作と言えば、昭和の終わりに新しい元号「平成」を発表した当時の官房長官、小渕恵三氏が思い起こされます。後に総理大臣に就任した氏が、ある時、混乱する政局に関する記者会見を行ったことがありました。そのTV中継中に、小渕総理が突然言葉を失い、十秒ほど不自然な沈黙が続いたことがあったのです。その後すぐにしゃべり始めたものの、その日の夜に救急搬送。脳梗塞と診断されて入院し、意識が戻らないまま1か月後に帰らぬ人となりました。

間もなくしてあの沈黙は、まぎれもなく一過性脳虚血発作だったと語られるようになりました。特別長い時間ではないものの、明らかに不自然な沈黙。小渕氏は、はからずも脳梗塞とその前触れがどういうものかを、全国民に知らしめて世を去ったというわけです。

一過性脳虚血発作は、本格的な発作の前触れ、警告です。じきにふだんと変わらない状態になっても、必ずその日のうちに受診して、起こった症状を伝えましょう。「明日でいいだろう」等と思って、その日は普通に寝てしまったところ、睡眠中に大きな発作が起き、朝にはかなり症状が進んでしまっているということはよくあることなのです。

血栓溶解法は発症後4・5時間以内が目安

　脳梗塞と思われる症状が見られたら、可能な限り速やかに専門医のいる病院を受診することが肝要です。脳梗塞の発症から数時間以内であれば、詰まった脳の血流を薬で再開通することができます。血流の再開通が早ければ早いほど回復の可能性が高まり、後遺症も軽くなります。

　治療の方法としては、脳梗塞の発作後、血管内の血栓を溶かす薬剤を静脈内に点滴で入れます。これが血栓溶解法です。

　ただし発症から数時間以内しか効果はありません。脳梗塞の場合、発症後4・5時間以内とされています。

　4・5時間以内といっても、実際に治療を行う前には必ず検査が必要です。脳梗塞と思われる患者が受診し、通常の問診、診察、採血、胸部レントゲン、頭部CT、頭部MRI、頸動脈エコーなどに1時間はかかります。従って、発作が起こってから受診までは、搬送時間を入れても3・5時間以内を目安にしなければなりません。

この時使われるのはｔＰＡ（tissue Plasminogen Activator ／組織プラスミノーゲン活性化因子）という薬です。

比較試験では、この薬を使うと、治療を開始してから3か月後に自立した生活を送れるようになる患者が、使わなかった時に比べ5割も増すと報告されています。

脳梗塞で脳神経が壊死するまでの時間は短く、薬剤投与はタイミングが命です。繰り返しますが、発症後4・5時間というのが現在のところリミットです。

ただし脳梗塞の患者全てに、この血栓溶解法が適用になるわけではありません。発症から時間がたってしまった場合、既往症などでｔＰＡが使えない場合などは、次の血管内治療が行われます。

カテーテル手術治療の進歩

ここで脳の血管について簡単に説明します。

脳に血液を運んでいるのは、心臓から大動脈を経て首の左右に分かれる頸動脈、そして首の骨に沿って伸びる左右の椎骨動脈という計4本の動脈です。頭蓋内では、この4本の血管からたくさんの血管が枝分かれし、脳の表面だけでなく深い内部にも入っていき、脳の細胞に酸素や栄養成分を届けています。

脳の手術と言えば、以前は頭がい骨を切って行う開頭手術しかありませんでした。この方法は患者にとっても大きな負担であり、また治療内容にもよりますが、技術的にも大変難しいものでした。

しかし1970年代から、血管にカテーテルという細いチューブを入れて治療する方法が盛んになってきました。

脳血管は非常に細く走行も複雑なため、カテーテル手術も困難ではありましたが、技術の進歩によって、使いやすいカテーテルが次々と開発されています。近年は安全で確実な治療が可能になり、治療成績も向上しています。

リミットは8時間以内

脳梗塞に関しては、発症してから時間がたってしまった場合や、ｔＰＡ治療を行っても効果がない場合に、カテーテルを用いた脳血管内治療を行うようになっています。この方法にも時間的なリミットがあり、発症から8時間以内に行うことになっています。また脳梗塞の程度が軽い人が対象です。

心筋梗塞の場合同様、多くはカテーテルという細い管を足の付け根の血管から挿入し、脳の血管に到達して行います。いわば開頭しない脳の手術です。

カテーテル治療には、細い血管に挿入できる極細タイプ、血栓を粉砕し吸引回収するタイプ、カテーテルを通じて血栓溶解剤を注入して血栓を溶かすタイプなど多彩な方法があります。心筋梗塞同様、バルーンのついたカテーテルで血管を広げ、ステントで血管の内腔を広げた状態を固定する方法もあります。

脳のカテーテル手術は近年飛躍的に進歩し、以前は難しかった複雑な脳内部の梗塞も治療が可能になりました。開頭しなくても脳血管の手術ができることで患者の負担は大きく軽減され、後遺症も減っています。

しかし、こうした治療にも弱点やリスクがあります。中でも怖いのは治療後に発生する脳出血です。血栓で完全に血管が詰まり、脳細胞が既に死んでしまっている場合、血流を再開させると、血管が裂けて脳出血が起こる場合があるのです。出血が少なければ全く問題ないこともあります。しかし出血量が多いと、ダメージは大きくなり、命に関わることもあります。

脳梗塞以外の脳卒中

【脳出血】

脳出血は、脳の細い血管が切れて脳の組織の中に血液があふれ出てしまう病気です。流れ出た血液は固まり（血腫）、周囲の脳細胞を傷つけ、圧迫したりして、その部分の脳の働きをダメにしてしまいます。以前は脳溢血《のういっけつ》と呼ばれていました。

原因の多くは高血圧で、長い間傷めつけられ、もろくなった血管が裂けて大出血して発症に至ります。

脳のどこで出血するか、出血量はどのくらいかによって症状は異なりますが、最も多いのは大脳基底核部です。

大脳基底核部とは、脳の真ん中の最も深いところ。たとえて言えばリンゴの種のような部分です。そんな最も深い部分での出血が、脳出血全体の約8割を占めます。他にも小脳や脳幹部にも出血が起こります。

この病気の発作が起こりやすいのは日中、普通に生活している時です。突然の頭痛や嘔吐、そして半身麻痺やしびれが現れることが多いです。

発症する人は減っていますが、病気自体の深刻さは変わりません。

たとえば大脳基底核部の働きは、関節や筋肉を使って行う運動を司ることです。朝目覚めて体を起こす。着替える。顔を洗う。テレビのリモコンを操作する。コーヒーカップを持ち上げて熱いコーヒーを飲む。人間の動作の全ては、基本的には大脳基底核部が司っています。

そのためこの部分で出血すると、体を動かせなくなります。半身まひや言語障害など重い後遺症が残ることがあります。

・血圧を下げる治療

脳出血は、発症したら一刻の猶予もありません。どれだけ早く適切な治療が受けられるかがその後の予後の明暗を分けます。

治療は、内科的治療が原則です。血圧を正常値まで下げて、安静にして投薬を行います。脳の浮腫を抑える点滴薬を使用します。

出血量が多く血腫（血のかたまり）が多くなる場合は、脳のダメージを減らすために手術をします。血腫が大きい場合は開頭して除去することもありますし、患者にとって負担の少ない内視鏡で吸引して除去する場合もあります。

脳出血の最大の原因は高血圧です。塩分の多い日本食を、塩分を気にせず食べていたため、高血圧になってしまいました。

昔は高血圧に対する認識が乏しく、そもそも自覚症状がないため、ある時突然脳溢血になる人が圧倒的に多かったのです。今は減塩の重要性が周知され、多くの人が血圧のコントロールをしっかりしています。降圧剤も進歩したことで高血圧は減り、結果として脳出血による死亡率は減っています。

【くも膜下出血】

くも膜下出血は、誰もが聞いたことのある病気です。この病気で亡くなった有名人も多いので、脳卒中でかつ突然死といえばくも膜下出血、というイメージがあるのではないでしょうか。発症するのは働き盛りの中高年が多いですが、若い人でも珍しくありません。誰もがなりうるとても怖い病気です。

ただ、くも膜下出血という名前がよく知られている割には、脳のどこが冒されるのかはあまり知られていません。

くも膜下出血は、頭がい骨と脳の隙間、ほぼ脳の表面で起こる出血です。

頭蓋骨の下には硬膜、くも膜、軟膜という3層の膜があり、その内側の脳脊髄液という液体の中に脳が浮かんでいます。脳は厳重な緩衝材に守られていることがわかり

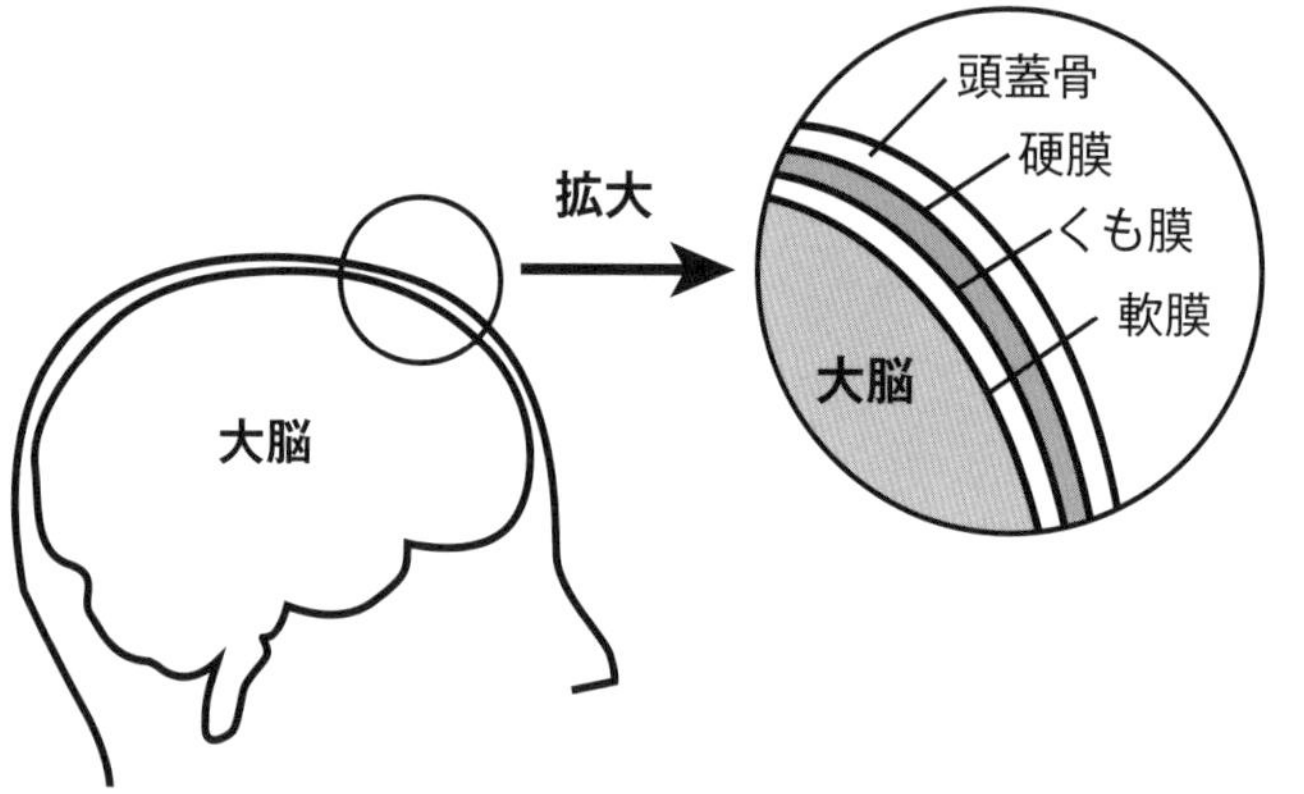

ます。

脳とその表面にあるくも膜と呼ばれる薄い膜の間には、脳の主要な血管がはりめぐらされており、そこが切れると大量の血液が流出します。くも膜下は狭い空間なので、あっという間に血液でいっぱいになり脳を圧迫します。

・突然ハンマーで殴られたような衝撃

症状としては突然起きる激しい頭痛が特徴です。よく「後頭部をハンマーで殴られたような感じ」と言いますが、本当にある時突然、衝撃的な痛みが襲います。続いてめまい、嘔吐、痙攣などが起きます。そうなれば当人にはどうすることもできないので、異変に気づいた周囲の人が救急車を呼ばなければなりません。

典型的な症状は激烈ですが、中には軽い頭痛や吐き気など軽い症状の場合もあります。いきなり大出血すると突然死、あるいは昏睡状態になりますが、少量の出血だと軽い頭痛の時もあります。

・はじめに動脈瘤ありき

くも膜下出血は「ある日突然発症する」と述べましたが、実際は発症以前に「動脈瘤」ができていることがほとんどです。

動脈瘤とは、血管の一部が血流におされて膨らんでしまったコブのこと。血管の分かれ目のところに多くできます。若い人には少なく、加齢によってだんだん増えるので、中高年の数％は動脈瘤を持っていると言われています。

ただし動脈瘤の全てが破れてくも膜下出血になるわけではなく、脳動脈瘤を持つ人が１００人いたら、発症するのはうち２人と言われています。残りの98人は動脈瘤があっても無症状です。

くも膜下出血は、脳の血管が生まれつき弱く動脈瘤ができやすい、破裂しやすいという遺伝的な性質が関係しています。従って、親など親族にくも膜下出血を患った人が複数いるようなら要注意です。くも膜下出血になりやすいことを、若い時から認識しておいた方がいいでしょう。

そうした人は40歳を過ぎたら脳ドックを受けて動脈瘤の有無を確かめ、動脈硬化を防ぐ生活をすることで発症リスクを下げることができます。

・再破裂を防ぐ治療

くも膜下出血でまず受ける治療は、脳のむくみをとり、血圧上昇などを改善するための薬物療法です。そして動脈瘤の再破裂を予防するため、手術やカテーテル治療が行われます。

この病気は、患者が体質的に動脈瘤ができやすく、かつ破裂しやすいのが特徴です。そのためいったん治療で治まっても、再発、再破裂しやすいことがわかっています。

動脈瘤の再破裂は死亡率が高いため、その前に動脈瘤への血流を止めてしまうことが肝要です。その方法は大きく分けて次の2つです。

1つは動脈瘤の根元を医療用のクリップで止めて血流を遮断するクリッピング術。頭蓋骨を一部取り外し、脳動脈瘤に直接クリップをかけます。

もう1つは、カテーテルで細い金属を動脈瘤内に挿入し、血流を遮断するコイル塞栓術。太ものつけ根から動脈にカテーテルを入れ、血管を通って動脈瘤に到達し、プラチナ製のコイルで充填します。

どちらを採用するかはケースバイケースですが、近年は患者の体への負担が少なく、回復が早いコイル塞栓術が選択されるケースが多くなっています。

くも膜下出血は遺伝との関係が指摘されています。近い親族にくも膜下出血を発症した人や脳動脈瘤がある人がいる場合は、脳ドックなどを受けると安心です。万が一脳動脈瘤が発見された場合は、破裂する前にクリッピング術やコイル塞栓術を行うことも少なくありません。

こうした治療をせずに経過を見ていく場合、高血圧は脳動脈瘤破裂を引き起こすリスクとなるため、適切な血圧を維持していくことが大切です。

【エコノミークラス症候群】

・足の血栓が肺に移動して発症する

急性肺血栓塞栓症は、主に深部静脈血栓症がもとになって発症します。この2つの病気はセットで考えなければなりません。珍しい病気のように感じますが、日本では年間2万人が急性肺血栓塞栓症になり、そのうち1割の2000人が死亡しています。しかもこの病気になる人、この病気で亡くなる人は年々増加しています。

急性肺血栓塞栓症になると救命は困難なので、その前段階である深部静脈血栓症にならないようにすることが肝要です。

用心した方がいい人は、エコノミークラス症候群というように長時間飛行機や長距離バスに乗る人です。長時間運転をするドライバーや災害で避難所暮らしの人、寝たきりの人なども同様です。

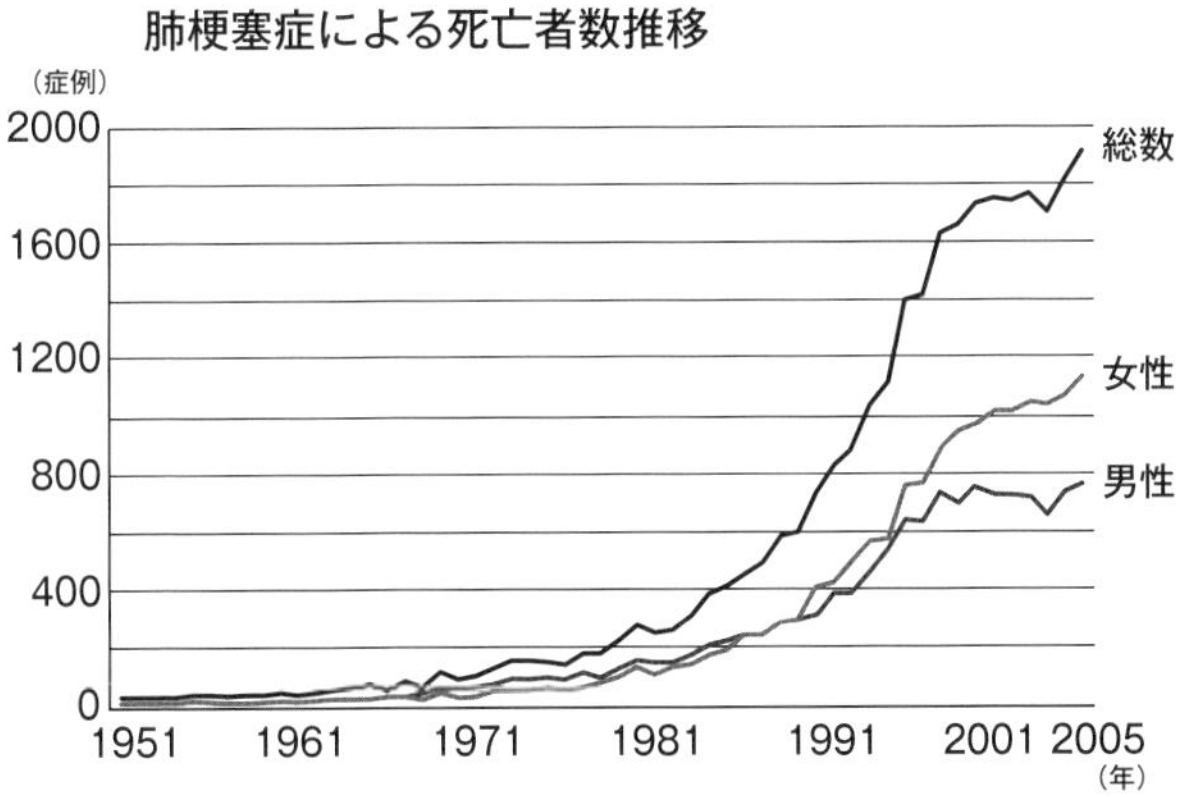

出典：肺血栓梗塞症および深部静脈血栓症の診断、治療、予防に関するガイドライン（2009年改定版より）

最近はこの病気が周知され、医療機関や避難所などでは予防対策がとられるようになってきました。問題は個人的な旅行や一人暮らしの高齢者などです。

長時間動かずにいることが原因なのですから、座っていてもマメに足を動かしたり、立ったりすることがとても大切です。血流が滞らなければ、発症を未然に防ぐことができます。

血栓は様々な症状を引き起こす

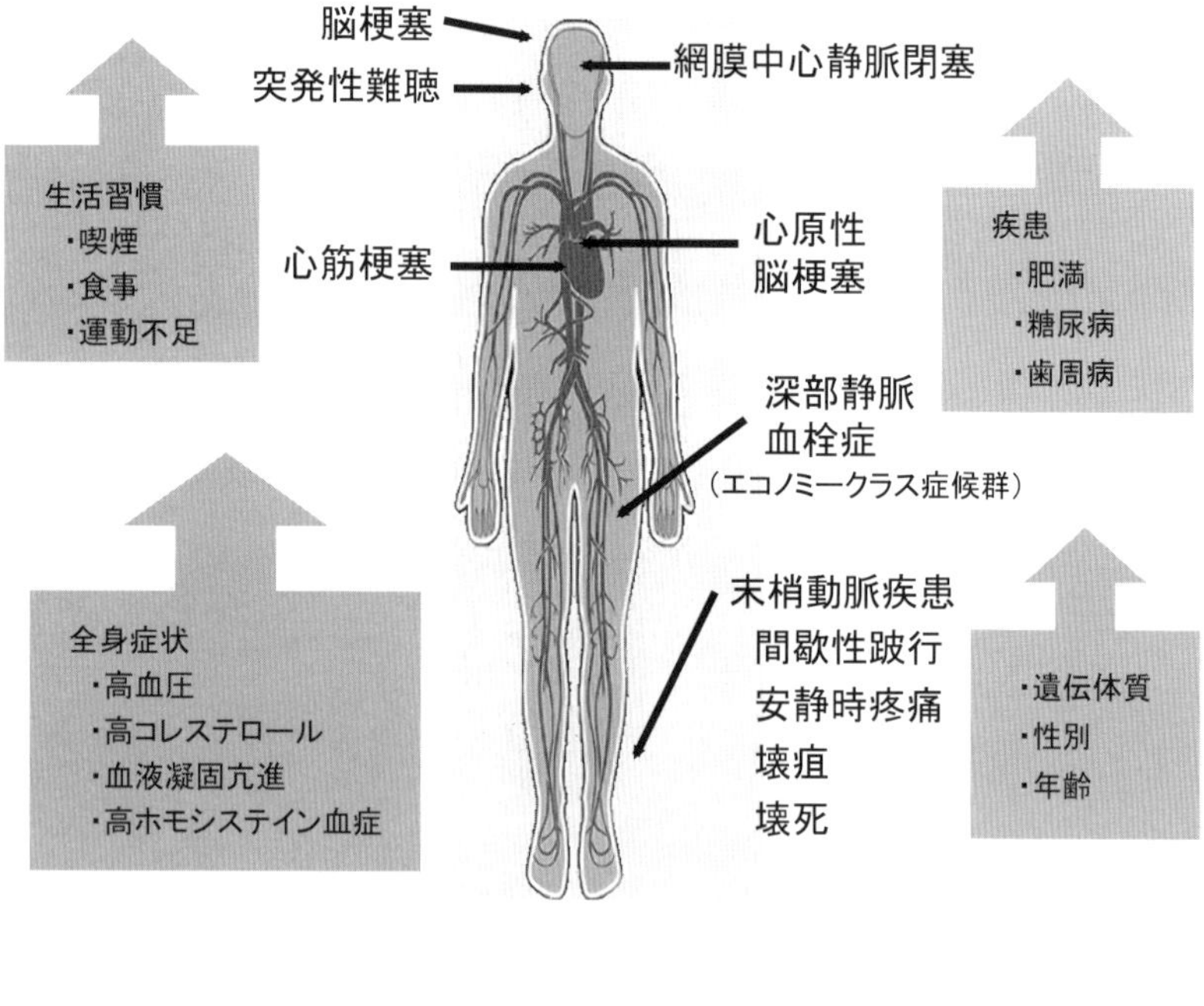

第3章

血栓症の原因を知る・防ぐ・改善する

動脈硬化を把握するには

第1章でも述べたように、血栓症である心筋梗塞や脳梗塞の大元になるのは動脈硬化です。動脈硬化は、動脈（血管）が硬くなってしなやかさを失った状態であり、ささいな衝撃で傷つき、血栓ができてしまいます。従って動脈硬化を防ぐことができれば、血栓症は未然に防げることになります。

動脈硬化とは、動脈の壁が厚くなったり、硬くなったりして、しなやかさが失われ、正常な血管の働きが悪くなる病変の総称です。血管の状態を表す言葉であり、病名ではありません。また体調が悪いとか、めまいがするといった自覚症状もないので、進行していても気づかないというのが困ったところです。

これまでの研究で、動脈硬化が進んでいる人ほど、心筋梗塞や脳梗塞を発症しやすいことがわかっています。ぜひ、自身の血管の状態を把握し、動脈硬化の予防や改善に努めていただきたいと思います。そうすることで心筋梗塞や脳梗塞を防ぎましょう。

では〝動脈硬化の状態〟を調べることはできるのでしょうか。

直接血管の状態を調べるには、たとえば冠状動脈の場合は血管内エコーやMRI、血管内視鏡などで把握できます。脳動脈の場合はシンチグラムやMRI、脳動脈造影などで検査することができます。

ただしこれらは費用や手間がかかるため、何か自覚症状がある場合の検査です。一般的には次の3項目の検査で、動脈硬化の状態、主要な血栓症が起こる血管の状態を代わりに把握しています。

1、心電図 ↓ 心臓の血管
2、眼底検査 ↓ 脳の血管
3、上腕動脈と足関節上部で測定する血圧の比 ↓ 下肢の血管

医師が触診で動脈の硬さや走行具合を把握し、胸部レントゲン写真で動脈の石灰化をチェックすることもできます。

危険因子を知る・意識する

血管が動脈硬化を起こす原因は1つではありません。主な原因は食事や運動、ストレスなど毎日の生活習慣の積み重ねです。これらは医学的にはいくつかの要素として医学会から公表されているので、ぜひ覚えていただきたいと思います。

まず3大危険因子とされているのが次の3つです。

①高血圧
②糖尿病
③脂質異常症

①高血圧

・血栓症最大の危険因子

高血圧は、通称「サイレント・キラー（沈黙の殺し屋）」。200を超えるような高血圧であっても、本人はほとんど感じることはありません。しかし、血管は強い血圧で24時間365日ずっと傷めつけられており、高血圧が続けば、いつ心筋梗塞や脳梗塞で突然死するかわからないのです。

高血圧は、心筋梗塞や脳梗塞などの血栓症の最大の危険因子です。

血圧とは、心臓が血液を押し出し、血管の押す圧力のことで、一般には動脈の圧を測定します。一回の拍動で、水であれば2メートルの高さに跳ね上がるほどの圧力だとされています。これほどの圧が毎日毎日、全身の血管にたたきつけられているのです。大動脈も細動脈もこの圧力からは逃れられません。

動脈硬化が進みやすい血圧は、目安として収縮期血圧（高い方）が140以上、拡張期血圧（低い方）が90以上です。

痛くもかゆくもない高血圧ですが、今、この瞬間も、血管は悲鳴を上げているんだと認識して、改善していきましょう。正常と言われるのは収縮期血圧（高い方）が130以下、拡張期血圧（低い方）が85以下です。

・境界域高血圧でも心血管疾患増加？

福岡県糟屋郡久山町で行われた、血圧と心血管疾患との関係の調査では、心筋梗塞などの心血管病の発症率は血圧とともに上昇することが確かめられています。また高血圧の一歩手前の境界域（高い方120〜129、低い方80〜84）から、明らかに心血管疾患の増加がみられます。

つまり明らかに血圧が高いから気をつけよう、では遅いのです。正常域を超えた時から既に要注意です。

補注・久山町研究……久山町は福岡市に隣接した人口約8000人の町で、九州大学が1961年から住民を対象に脳卒中、心血管疾患などの疫学調査（集団における病気や健康状態に関する長期的な調査）を行っています。久山町は、住民が日本の全国平均とほぼ同じ年齢・職業分布にあり、偏りのほとんどない平均的な日本人集団と考えられるからです。この調査でも、高血圧でない住民の追跡調査により、高血圧になる危険因子として肥満、アルコール、高インスリン血症（インスリン抵抗性・糖尿病）の影響を明らかにしています。同様の傾向は脳卒中でも同じとしています。

②糖尿病

糖尿病には1型と2型があります。免疫の異常や遺伝的要因のある1型糖尿病は、生活習慣には関係ありません。2型糖尿病は、過食や運動不足、ストレスなどが関わる代表的な生活習慣病です。

糖尿病になると、膵臓が代謝のために分泌しているインスリンが不足したり、その働きが悪くなったりして、ブドウ糖が全身の細胞にうまく取り込まれなくなります。そのため血中に糖が残り続け、これが全身の血管を傷つけます。

糖尿病もサイレントキラーと言われており、はじめは血糖値が高いだけで全くの無症状です。困ったことに健康診断でたまたま血糖値が高くても、自覚症状がないために治療をしない患者がたくさんいます。

高血糖が長く続くと網膜症、狭心症、腎症、壊疽など様々な合併症が起こってきます。これらは放置すると、失明、腎不全、足の切断など極めて重篤な合併症になることがあります。

血液中で糖がただよい続けると血管が傷つき、動脈硬化が進行します。さらに血液が固まりやすくなり血栓症が起きやすくなります。

また糖尿病になると、動脈硬化の危険因子である高血圧や脂質異常症が起こりやすくなります。危険因子は相互に促進しあう関係であることをしっかり認識しておいてください。

・特に危険なのは食後血糖値

糖尿病か否かを調べるには血糖値を調べます。ただ食事によって、血糖値は上がったり下がったりするため、食事前の空腹時血糖値やブドウ糖を飲んで行う経口ブドウ糖負荷試験、食事の時間に関係なく行う随時血糖値、さらにここ1～2か月間の血糖値の変化を見るヘモグロビンA1cなどの検査があります。どの数値が正常値をオーバーしても糖尿病と診断されますが、どの血糖値がより高いかによってその人の糖尿病のタイプが決まります。

正常値と糖尿病ラインの間に境界型という一歩手前の段階があります。

動脈硬化は、糖尿病が軽い状態、境界型の時点から進行しています。血糖値がそれほど高くなくても、安心してはいけません。

空腹時血糖と食後血糖を比べると、食後血糖が高い方が動脈硬化が進行しやすく、心疾患など命に関わる病気で亡くなる確率が高いことがわかっています。

よく「血糖値が若干高め」とか「血糖値が高いのは食後だけ」といった話を聞きますが、これらは全く安心材料になりません。

血糖値が基準値を超えれば糖尿病であることを自覚してきちんと治療し、血糖値を安定させないと心筋梗塞や脳梗塞の危険が迫ってきます。

③脂質異常症

・脂質異常症の基準

脂質異常症とは、血液中の脂質の量のバランスが悪い状態を指します。単純に「脂質が多いから悪い」ということではありません。健康診断の結果、脂質異常症という指摘を受けたことのある人は多いと思いますが、大切なのは脂質の種類とそのバランスです。

脂質にはコレステロールと中性脂肪があり、コレステロールにはＬＤＬコレステロールとＨＤＬコレステロールがあります。問題は主にこのＬＤＬコレステロールとＨＤＬコレステロールのバランスです。

脂質異常症の診断基準は次の通りです。

総コレステロール値　２２０mg／dℓ以上
ＬＤＬ（悪玉）コレステロール値　１４０mg／dℓ以上
ＨＤＬ（善玉）コレステロール値　40mg／dℓ以下
中性脂肪　１５０mg／dℓ以上
日本動脈硬化学会「動脈硬化性疾患予防ガイドライン」２０１２年版より

脂質異常症になると動脈硬化が進行し、心疾患や脳卒中などを発症する可能性が高くなります。

・ＬＤＬとＨＤＬ、どちらも必要

コレステロールは、本来有害なものではありません。人間の体に存在する脂質の１つで、細胞膜・ホルモン・胆汁酸を作る必要不可欠な材料です。

では動脈硬化の原因とされ、悪者扱いされているのはなぜでしょう。

コレステロールは脂質なので、そのままではなじみにくい性質を持っています。血液中では、タンパク質と結合してリポタンパクになって溶け込んでいます。

リポタンパクには２つの種類があり、肝臓のコレステロールを体全体（血管）に運ぶ役割を持つＬＤＬコレステロール、血管壁にたまったコレステロールを肝臓にもどす役割を持つＨＤＬコレステロールがあります。つまりコレステロールの運搬船なのです。どちらも大切なので、善玉、悪玉と呼ぶのは本質的にはおかしいのです。

しかし現代人はＬＤＬコレステロールが多くなり、運んで血管に溜める一方で、血管からの回収が進まない状態になっています。このアンバランスな状態が動脈硬化を招きやすい状態になっているのです。この点を意識してＬＤＬコレステロールを減らしてもらうために、ＬＤＬコレステロールにあえて〝悪玉〟という言葉を使って啓発しているのかもしれません。

脂質異常症を解消して、血中の脂質のバランスをよくするには、欧米型の動物性脂質の多い食事より、日本型の青魚や植物性脂質の多い食事をするとよいです。また、運動することもとても大切です。

以上が動脈硬化の3大危険因子です。これ以外にもリスク因子として、肥満、喫煙、運動不足などがよく挙げられています。これらの因子は相互に強く影響し合っています。動脈硬化は、危険因子が何か1つあって悪化するというより、いくつかの因子が絡み合って悪化していきます。

肥満とメタボリックシンドローム

肥満によって急に動脈硬化が進行し、心筋梗塞や脳梗塞が増えるわけではありません。しかし肥満になると高血圧や脂質異常症になりやすく、糖尿病になりやすいことは事実です。肥満を解消して、これらの危険因子を取り除くことが大切です。

肥満を科学的に把握する指標としてＢＭＩ（ボディ・マス・インデックス）があります。次の式で自分の数値を把握し、正常範囲に収めるようにしたいものです。

ＢＭＩ値＝体重（kg）÷［身長（ｍ）×身長（ｍ）］

※ＢＭＩ22が適正体重（標準体重）、25以上が肥満、18・5未満が低体重

体重65kg、身長170cmの人は

65÷［1・7×1・7］でＢＭＩ値は22・5で正常範囲です。170cmの人の正常範囲は、ＢＭＩ値の最大で69・93kg…ですので70kg未満だということになります。70kgを超えたら要注意ということです。

最近は体脂肪率を測定することができるようになりました。体脂肪率も正常範囲に収めるようにしてください。

筋肉量の多い方がＢＭＩ値が高くなります。ＢＭＩ値と体脂肪率の両方の数値を指標にすると、より正確に現状を把握できます。

動脈硬化と血栓症の3大危険因子である高血圧、糖尿病、脂質異常症に脂肪肥満を加えて、メタボリックシンドロームと言うようになりました。

脂肪肥満とは、ウエスト周囲(へその腹囲)のサイズが男性85㎝、女性90㎝以上の状態です。脂肪肥満を必須項目として、高血圧、高血糖、脂質異常の3つのうち、2つ以上が基準値から外れると、「メタボリックシンドローム」と診断されます。

最近は健康診断の結果やアドバイス欄に、メタボリックシンドロームの記載が増えています。

病気予防のために様々な基準があって、どれを指針にすべきなのか迷う、ややこしくて困るという人もいるでしょう。あまり厳密に考え過ぎず、まずはメタボリックシンドロームと診断されないようにしてください。太ったと思ったら食事内容を改め、運動する機会と習慣をつけるようにすることが大切です。

喫煙

タバコは百害あって一利なしといいます。1日20本以上タバコを吸う人は、吸わない人と比べて心疾患の発生率が何倍にもなります。かつてアメリカで紙巻タバコが流行り始めた頃、心疾患での突然死が急に増えたことがあります。そのため白い紙巻タバコは「棺桶の釘」と揶揄されたことがあるそうです。

タバコと血管の関係は最悪です。他の危険因子、例えば高血圧や脂質異常症のような間接的な影響とは違い、直接血管を傷つけると言っていいでしょう。

タバコを吸うと、ニコチンの作用で血管が収縮します。血管が収縮すると血圧が上がります。ダイレクトに高血圧を招くわけです。

ニコチンだけでなくタールなどの有毒物質は血管内皮細胞を直接傷つけ、動脈硬化が進行します。

タバコによって吸い込まれた一酸化炭素は、血液中で酸素を運ぶヘモグロビンに付着するため、酸素が充分に運べなくなります。すると酸素不足を解消するために脈拍が高まり血管に大きな負担をかけます。これも高血圧の要因です。

また喫煙によって血が固まりやすくなり、血栓症を起こす危険も高まります。

タバコには依存性があるので、今すぐ自分で止めるのは難しいかもしれません。しかし今日は禁煙外来などの医療サポートもたくさんあります。そうした方法を活用すれば、それほど苦労することなくタバコを止めることができるはずです。

何十年も喫煙していて、今さら禁煙しても遅いのでは、という人がいますが、そんなことはありません。喫煙による血管へのダメージは禁煙したその日からゼロになります。それに伴い血栓症のリスクは減っていきます。

飲酒

・アルコールと血管

「酒は百薬の長」という言葉があります。確かにお酒を飲んで気分が高揚し、楽しいひと時を過ごすとストレス解消になり、安眠できたり、明日への鋭気を養うことができるかもしれません。ただ体への影響、特に血管への影響を考えると、アルコールを飲み過ぎるとデメリットが大きくなることも認識していただきたいと思います。

アルコールには血管拡張作用があるので、血圧を一時的に下げる働きがあります。しかし長い間飲み続けると、平常時の血圧がじわじわと上がり、結果的に高血圧症の原因になることがわかっています。多くの研究で、日々の飲酒量が多いほど血圧の平均値が上がって、高血圧症になるリスクが高くなることがはっきりしてきました。

お酒を飲み始めると最初は血管が拡張しますが、やがて交感神経が興奮し、心臓の拍動を速めます。お酒を飲むと胸がドキドキするのは、こうしたメカニズムです。

心臓の鼓動が速くなると不整脈（期外収縮や心房細動など）を誘発しやすくなります。運動もしていないのに過剰に働くことから、長期的には心臓肥大や心不全の原因になるのです。

血管に対する影響は脳血管疾患にもつながります。こうした悪影響は飲酒量が増え、飲酒する期間が長くなるにつれて大きくなります。

またアルコールには利尿作用があるため、たくさん飲むと水分補給どころか脱水状態になってしまいます。血中の水分が減ると血液はドロドロになり、血栓ができやすくなります。

・アルコールと中性脂肪、コレステロール

現代人のコレステロールや中性脂肪などの脂質の増加は、日本人の食事の欧米化によって、動物性脂肪をたくさん摂取するようになったためだと考えられています。

他にも血中脂質が増える原因がたくさんあり、大きな比率になっているのがアルコールです。コレステロールや中性脂肪などの脂質は、食事によって取り入れているもの以外に、肝臓で合成されるものがあるからです。

我々がお酒を飲むと、アルコールは肝臓で分解・代謝され、中性脂肪などの脂質に合成され、エネルギー源として全身の細胞に届けられます。なので、飲み過ぎると中性脂肪が増え過ぎてしまうのです。

肝臓の分解能力を超えて入って来たアルコールは、中性脂肪にはなるものの、そのまま肝臓に溜まってしまいます。これが脂肪肝で、肝臓にとって大きな負担になります。進行するとアルコール性肝障害になってしまいます。肝障害まではいかなくても、肝臓に中性脂肪がたまっている日本人はかなり多いです。

コレステロールにもアルコールを飲み過ぎたことによる悪影響が起こります。実は、

少量〜適量のアルコールは、コレステロールの中でも善玉といわれるＨＤＬコレステロールを増やす働きがあります。「酒は百薬の長」と言われていますが、適量であれば医学的にも正しい表現なのです。

ところがお酒を飲み過ぎ、肝臓がアルコールの分解能力を超えると、ＨＤＬコレステロールは逆に低下していきます。進行すると動脈硬化を招き、血管にとっては大きなマイナスの状態になります。

「アルコールに健康効果があるのは少量〜適量まで」ということもしっかり覚えておいてください。

ストレス

・交感神経が興奮して血管を傷つける

一言でストレスと言っても、色々なタイプのストレスがあります。暑さ、寒さといった物理的ストレスもあれば、悲しい、つらい、さびしいといった精神的ストレスもあります。ここでは現代人のストレスという意味で、精神的ストレスと動脈硬化の関係を述べてみます。

精神的ストレスが健康を害することについて、異論のある人はいないと思います。中でも確かなのは、動脈硬化を進行させることです。医学的にも、ストレスが血管にもたらす様々なリスクが証明されています。そのメカニズムは次の通りです。

強いストレスは交感神経を刺激します。交感神経はストレスから身を守るために、全身を緊張させます。この時、血液中では、血液を凝固しやすくする血小板が活性化します。血管は収縮し、血流が悪くなり、血液は粘度を増します。いわゆる「血液ドロドロ」の状態になるので血栓ができやすくなります。

また交感神経は、ストレスが強くなるとノルアドレナリンを分泌させるので、血圧や心拍数が上がり血管を収縮させます。これも動脈硬化を引き起こします。血管が収縮すると内腔が狭くなるので、血流が速くなり、血圧が上がります。血圧が高くなると、血管を傷つけ動脈硬化が進行してしまいます。

もう1つ有名なストレス反応があります。ストレスが強くなると、副腎皮質から分泌されるコルチゾールというホルモンが起こす反応です。コルチゾールは別名ストレスホルモンと呼ばれており、強いストレスを乗り越えるために分泌されます。コルチゾールによって血糖値が上がり、エネルギーを蓄えてストレスに対処しようとします。しかし、現実的には分泌が過剰になり、血糖値が上がりすぎ、免疫力が下がって感染症にかかりやすくなるとされています。血糖値の上昇はやはり血管を傷つけるので、動脈硬化につながってしまいます。

・究極のストレス・過労死

現代社会における強いストレスの代表格は、長時間労働、過剰な仕事量、パワハラ、セクハラなどによる過労です。その最悪の結果は過労死です。

過労死は、karousiとしてオックスフォード英語辞典にも掲載されており、働き過ぎの日本人を象徴する言葉です。

なぜ働き過ぎで死に至るのか。医学的には、多くの場合、心筋梗塞や脳梗塞などの血栓症が死因です。過労というストレスが動脈硬化を進行させ、血栓症に至るのです。

こうしたストレスから血管を守り、心臓や脳を守り、命を守るために最も大切なことは「ストレスに気づくこと」だとされています。

過労死に至った人は、普通の人から見ればかなり異常な状況で働いています。ストレスで正常な判断力が損なわれた人は、長時間労働が当たり前だと思い込み、ろくに寝ていないのに自ら働き、休みをとろうとしません。自分が受けているストレスを、ストレスだと思っていないことが多いのです。

まずストレスに気づく。本人が気づかなければ周囲が気づかせてあげることが大切です。ストレス状態を認識し、自らを過労から解放していくことが重要です。

危険因子を減らしていく

ここまで動脈硬化の危険因子として高血圧、糖尿病、脂質異常症、喫煙、肥満、飲酒、ストレスについて述べてきました。他にも運動不足や基礎疾患など様々な要因があります。また、わかっていてもどうすることもできない要素として加齢、性別（男性の方が動脈硬化を起こしやすい)、遺伝的体質などがあります。

こうしたいくつもの要素が重なって動脈硬化は進行し、心筋梗塞や脳梗塞などの血栓症につながってしまいます。危険因子を多く持つ人ほど、動脈硬化が速まるのです。

アメリカ・マサチューセッツ州の町フラミンガムで、以上のような危険因子と心臓病の関係を明らかにするための疫学調査(フラミンガム・スタディ)が行われています。そのスタートは1948年。対象者は同地域の男女約5000人という大規模かつ長期的なもので、調査が始まってから既に半世紀以上が経過し、現在進行形で続けられています。現在は最初の5000人の子どもや孫の代になっており、世界中の研究者が参考にし、医学の進歩に貢献しています。

フラミンガムはこの研究に協力したことで「世界の心臓を救った町」と呼ばれています。この研究によって高血圧、喫煙、耐糖能異常(糖尿病)、さらに心電図異常(左室肥大)が加わるにつれ、心筋梗塞や狭心症などの病気を発症する人が増えることがわかってきました。

この研究は心疾患に関する調査ですが、動脈硬化、血栓症という心疾患と原因が同じ脳血管疾患も同様だと思います。危険因子が多い程、動脈硬化が進行し、脳梗塞などの血栓症が起こりやすくなります。裏を返せば、これらの危険因子を1つでも減らすことが、動脈硬化を改善し、血栓症を防ぐことにつながるわけです。

加齢や性別、遺伝的体質は変えられませんが、こうした要素は動脈硬化や血栓症に対する予防意識を高め、予防効果につながります。くも膜下出血のように、なりやすい体質も存在します。血縁にこうした病気を患った人がいれば、他の危険因子をできるだけ減らすことが予防につながります。

次章では、動脈硬化や血栓症の予防について述べていきますので、ぜひ参考にしてください。

第4章

血栓症（脳梗塞、心筋梗塞）を予防する

危険因子を減らすと血栓症は防げる

前章では、心筋梗塞や脳梗塞などの背景となる動脈硬化の原因について述べました。高血圧、糖尿病、脂質異常症などの危険因子があると動脈硬化が進み、心筋梗塞や脳梗塞などの血栓症につながります。逆に危険因子を減らすことで、血栓症は防げます。

そこで本章では、危険因子の減らし方についてご紹介していきます。方法は生活習慣の改善法です。禁煙、食事、休養、運動、ストレス解消などについてご紹介していきます。

【禁煙】

・禁煙しなければ意味がない

タバコがいかに血管を痛めつけ動脈硬化を進行させるかは、第3章で述べました。喫煙は動脈硬化、その先にある血栓症の最大の危険因子です。血管を傷めつける直接的な原因であり、ニコチンなどの有毒物質が血管を収縮させるため、心筋梗塞や脳卒中の直接的な原因になります。血栓症で倒れたくなければ、まずは禁煙することです。

国立循環器病センターのホームページによると、タバコの煙には4000種類以上の化学物質が含まれ、そのうち有害とわかっているものだけで200種類以上に上ります。さらに40～60種類の発がん物質が含まれています。

タバコを吸う時に体に入る一酸化炭素は酸素に比べ240倍も赤血球にあるヘモグロビンと結合しやすく、酸素欠乏になります。これにより動脈硬化が進み、脳卒中や心筋梗塞などの血栓症を引き起こしやすくなります。一酸化炭素を吸い込むことは大変恐ろしいことなのです。

タバコをやめない限り、生活習慣を改めても動脈硬化の改善は難しいですし、健康的な食事や運動習慣などの努力が無駄になってしまいます。運よくメタボリックシンドロームを解消できたとしても、肺がんなどのがんで命を落とすかもしれません。

・禁煙すれば5年でリスクは、ほぼ吸わない人と同じ？

第3章でご紹介したフラミンガム調査（アメリカで半世紀以上続けられている大規模な心疾患の調査）によれば、禁煙することで、脳卒中の危険度は禁煙後2年以内に急速に低下し、5年以内に非喫煙者と同じレベルになることがわかりました。

ある調査では、女性の心筋梗塞による死亡率は、喫煙者が非喫煙者より4・5倍になりますが、禁煙すれば、ほぼ5年で非喫煙者と同じレベルに低下するとのことです。

脳卒中や心筋梗塞などの血栓症を予防するという点では、禁煙の効果は、がん予防より早く効果が出ると言われています。

・なぜ禁煙は難しいのか

「禁煙しよう」と思ってもなかなかうまくはいかない、という人もいるでしょう。それはその人の意志が弱いからではありません。タバコは、きわめて依存性の高いものだからです。

タバコの主成分であるニコチン自体に強い依存性があり、それによって喫煙者は、吸わずにはいられない脳になってしまいます。

ニコチンは体内に非常に吸収されやすい物質で、一服吸い込むと数秒以内に血液脳関門を通過し脳細胞に到達します。口腔内粘膜や皮膚からも吸収されます。喫煙者にはよくわかりますが、タバコの煙を吸い込んですぐに快感を感じることができます。

初めて吸ったタバコは決して気持ちのよいものでも、おいしいものでもありませんが、定期的に吸っていると、ある時期以降は、タバコなしには脳が以前と同じ活動ができなくなります。タバコ依存症の成立です。

従って、よほど強い動機と意志がなければ、禁煙は失敗して当然だと言えます。

ここで考えていただきたいのは、タバコを吸い続けていると訪れる（かもしれない）命に関わる恐ろしい事態です。喫煙が原因で起こった脳卒中や脳梗塞で命を失ったり、後遺症で体が麻痺し、人に頼らなければ何一つできない生活を送ることになるかもしれません。肺がんや心筋梗塞も怖いですが、脳卒中の後遺症で寝たきりの人生を送る方が怖いのではないでしょうか。

タバコを吸い続けることは、命を失ったり、寝たきりの人生になったりする事態に一歩一歩近づいているのと同じです。

このように考えると、タバコを本気でやめようという気持ちが強くなるのではないでしょうか。

・保険適用の禁煙治療費はタバコ代より安い

いつか脳卒中になって寝たきり生活になるのがイヤであれば、禁煙することが最も大切です。自分はどうもすぐにはやめられそうにない、自力でやめる自信がないというのであれば、禁煙外来はいかがでしょうか。

「費用が高いんじゃないの」という心配をする人がいるかもしれませんが、禁煙治療は２００６年４月から健康保険適用になりました。２０１６年からは保険適用条件もぐっと緩和されたので、大抵の人が自己負担３割で治療を受けられます。

医療機関によって多少違いはありますが、3か月間で5回通院するとして、費用は3割負担で大体1万3千円～1万5千円くらいです。

医療機関では、喫煙者はニコチン依存症として治療を受けます。事前にニコチン依存症かどうかを問診票で調べます。該当すれば診察になり、治療薬を処方されます。

禁煙外来で処方されるのは禁煙補助薬です。禁煙補助薬を使えば、禁煙してニコチンが切れた時もイライラや焦燥感などの離脱症状が現れにくくなり、禁煙を続けやすくなります。

禁煙補助薬には、ニコチンを含まない飲み薬、ニコチンパッチ、ニコチンガムの3種類があります。このうち医師が処方し、健康保険等が使えるのは、ニコチンを含まない飲み薬と、医療用のニコチンパッチです。

タバコの値段が2020年夏の段階で1箱500円前後ですので、仮に1日1箱吸うとすれば1か月1万5千円、3か月で4万5千円です。タバコ代より治療費の方が約1／3も安いです。

【節酒】

お酒は、必ずしも血栓症の危険性を高めるとは限りません。節度ある飲酒であれば、血栓症の危険因子とは言えません。問題になるのは習慣的にたくさん飲む人です。

２００３年に実施された日本の成人に対するアルコールの実態調査（厚労省）によると、お酒を飲む時、純アルコール量として常に60ｇ以上飲酒している「多量飲酒」に該当する人は８６０万人いました。うちアルコール依存症の疑いのある人は４４０万人、さらに治療の必要なアルコール依存症の患者は80万人いると推計されました。

まず厚労省が適量の目安としている1日のアルコール摂取量は、純アルコールで20ｇです。これはビールなら５００㎖缶1本、日本酒なら1合弱、ワインならグラス２杯、ウィスキーなら60㎖です。「多量飲酒」に該当する純アルコールで60ｇだと、それぞれの3倍になります。

次に、生活習慣病のリスクが高まる量は１日40ｇ（女性はアルコールによる健康被害を受けやすいので20ｇ）以上です。

アルコール依存症までいかなくても、適量の２倍ですので、やはり適量を超えてお酒を飲んでいる人はかなりいる（お酒を飲んでいるいる人はほとんどである）と考えられています。

多量飲酒による生活習慣病とは、高血圧、脂質異常症、糖尿病、痛風、肥満、メタボリックシンドローム、動脈硬化、狭心症、心筋梗塞、脳卒中…となり、まさに本書のテーマである血栓症に関わるものばかりです。

血栓症のリスクとなる酒量は、意外と多くはありません。純アルコール40g以上というと、５００㎖のビールを１本とワインをグラス１杯以上飲んだら、それだけで危険域です。

中性脂肪の値が高くなる原因にアルコールがあります。高血圧に関しても、長期間のアルコール摂取が血圧を上げるという結果が出ています。

血栓症になりたくなかったら、「お酒は控えめに」が鉄則です。

【肥満解消】

・自分の標準体重を知る。ＢＭＩ22がベスト

肥満が動脈硬化の危険因子であることは既に述べました。肥満イコール動脈硬化ではなく、「肥満が動脈硬化を進行させ、血栓症になりやすくする」ということです。同時に肥満は、高血圧や脂質異常症、糖尿病、メタボリックシンドロームの要因です。自分の適性体重を把握して、それを維持するように努めましょう。重量オーバーである場合、運動と食事を組み合わせて適正体重に近づけましょう。

健康診断を受けると、体重に関する指標としてＢＭＩ（ボディ・マス・インデックス）が使われていることが多いようです。自分のＢＭＩと標準体重を知って、これに近づけるようにしましょう。

日本肥満学会は、標準体重とはＢＭＩが22の場合であり、この数値が最も病気になりにくい状態であるとしています。

ＢＭＩが25を超えると脂質異常症や糖尿病、高血圧などの生活習慣病のリスクが、そうでない場合の2倍以上とされ、30を超えると高度な肥満として、積極的な減量治

療を要するものとされています。肥満はその度合いによってさらに「肥満1」から「肥満4」に分類され、保険適用になる治療もあります。

計算方法は世界共通ですが、肥満の判定基準は国によって異なります。WHO（世界保健機構）の基準では、肥満と判定されるのは30以上ですが、日本の基準である25以上を意識しましょう。18・5未満は「低体重（やせ）」と分類されます。

・ゆっくりよく噛んで食べる

体重をコントロールするためには、どんなものを食べるか、つまり食事内容が大切ですが、同時に気をつけたいことが、「ゆっくり、よく噛んで食べる」ということです。とくにゆっくり食べることは、食べ過ぎを防ぎ、飢餓感を感じない食事制限に自然につながります。

最近の調査研究で、早食いと肥満が深い関係にあることが証明されました。愛知県内の成人男女約5千人を対象にした調査では、早食いの人ほどBMI値が高いこと、さらに20歳以降のBMI値の上昇も大きいことがわかりました。

我々の脳の視床下部には、摂食中枢と満腹中枢という食欲に関わる部分があります。胃袋に食べ物がなくなって（胃がカラッポになって収縮する）腸がぐるぐると音をたてる頃になると、摂食中枢が働いて「お腹がすいたなあ」となります。食事をして胃が拡張し、消化吸収されたブドウ糖が血液中にあふれると、今度は満腹中枢が働きだし「お腹がいっぱいだ」となって摂食を抑えます。

よく言われているのは、早食いは、満腹中枢が働き始める前に食べ過ぎてしまう、という説です。逆に、ゆっくりよく噛んで食べていると、「お腹がいっぱい」になる前に満腹中枢が働いて、「ごちそうさま」という感覚になります。「満腹より満足」ということでしょう。

早食いのような食べ方の癖は簡単には直りませんが、意識して時間をかけて食事をすることで、いつもより少ない量の食事で満足できるようになります。

・3か月～半年で体重の3％を減らす

日本肥満学会が出している「肥満症治療ガイドライン２０１６」によると、ＢＭＩが

25～35、肥満度1（軽度肥満）の人の減量の目標は「3か月～半年で体重の3％以上」とあります。体重70kgの人であれば、3か月～半年で約2kg減くらいになります。

かなりゆっくりした減量に思えますが、このくらい体重が減るだけで、高血圧、糖尿病、脂質異常症などの危険因子が減少するというデータに基づいています。

日本肥満学会では、特定健診・特定保健指導で肥満症の診断基準を満たす約3000人を対象に肥満症改善指導を行い、1年後の体重変化と血圧、脂質、血糖、肝機能、尿酸等の検査値の変化量を検討しました。その結果、1～3％の体重減量でもLDLコレステロール、中性脂肪、ヘモグロビンA1c、肝機能が優位に改善し、3～5％の体重減量では、加えて血圧、尿酸、空腹時血糖が有意に改善するという結果になったとのことです。

ただしBMI35以上という肥満度の高い人は、3か月～半年で体重の5～10％の減量が目標になります。減量の目標は個々人で違って当たり前ですが、ゆっくりした減量は食事量もさほど減らないので、減量による飢餓感を感じにくいと言えます。また少なめの食事量にじき慣れて、リバウンドしにくい体重減量法であることは間違いありません。

・1日の摂取カロリーは標準体重から計算。1kg25キロカロリー×体重

減量の原理は簡単で、摂取カロリーより消費カロリーが多ければ、自然と体重は減っていきます。摂取カロリーが1600キロカロリー、消費カロリーが1800キロカロリーならば、200キロカロリーマイナスですので、わずかですが、これを積み重ねていけば確実に痩せられます。

体重を1kg減らすのに必要な消費カロリーは、5000〜8000カロリーと考えられています。1日200キロカロリー×30日で6000キロカロリー。1か月で1kgくらいは減りそうです。

減量計画をたてる時には、自分の標準体重から消費カロリーを割り出し、それより少なめのカロリーを1日の摂取カロリーとします。標準体重はBMIが22の時ですので、BMIの計算方法から、次の式で求められます。

標準体重(kg)=身長(m)×身長(m)×22

身長 [　.　] m × 身長 [　.　] m × 22 ＝ 適正体重 [　　] kg

適正体重 [　　] kg × 基礎代謝基準値 [　　] kcal × 身体活動レベル [　　] ＝ 1日に必要なエネルギー量 [　　] kcal

労働強度	職種や状態の例	体重 1kg あたりの 1日消費カロリー
軽い	高齢者、幼児がいない専業主婦、管理職、短距離通勤の一般事務職、研究職、作家	25kcal
中くらい	育児中の主婦、外交員、長距離通勤の一般事務職、教員、医療職、製造業、小売店主、サービス業、輸送業	25～30kcal
やや重い	農耕作業、造園業、漁業、建築・建設業、運搬業	30～35kcal
重い	農耕・牧畜・漁業の最盛期、建築・建設作業現場、スポーツ選手	35～40kcal

身長170cmの人ならば1・7×1・7×22＝63・6kgです。

次にこの標準体重の1kgあたりに必要なエネルギーは、その人の1日の活動強度によって変わってくるため、次の表から選びます。

この男性の仕事がデスクワーク中心で労働強度が中くらいだとすると、標準体重1kg当たりの必要エネルギー量は25～30キロカロリーです。1日の必要エネルギーは次の計算になります。

体重63・6kg ×25~30＝1590~1908キロカロリー

これが食事療法の目安であり、1日の摂取カロリーは1590キロカロリーから1908キロカロリーの間で設定します。

実際の食事療法を実践する場合はそれほど厳密には計算できないので、大体1600キロカロリーくらいに設定すればいいでしょう。

・摂取カロリーの5~6割は炭水化物で摂取

1日の摂取カロリーを1600キロカロリーと設定し、その内訳を決めていきましょう。

食事療法の基本は、摂取カロリーの6割は炭水化物でとるということです。1600キロカロリーの6割だと、960キロカロリーは炭水化物になります。1日3回の食事に分けると1食の炭水化物は320キロカロリーです。ごはん茶碗でしっかり1膳といったところです。パンならば6枚切りの食パン2枚くらいです。かなりボリュームがありますが、その分、間食や夜食は基本的には食べられません。

麺類は1食あたりのボリュームが多いので、そばやうどん、中華麺は1玉だと360キロカロリーくらい。パスタだと400キロカロリーを超えます。厳密に1食分の炭水化物のカロリーを守ると、外食では残さなくてはなりません。

しかし1食分にそれほど厳密にならなくても、昼食にラーメンを食べてしまったら、夕食でごはんを茶碗半分にするなど1日の食事全体で柔軟に整えてください。

「摂取カロリーの6割が炭水化物」というのは多すぎると感じる方は、炭水化物5割くらいでもいいと思います。その場合は、1日の炭水化物の合計が800キロカロリーです。ごはんは茶碗に軽く1杯程度にとどめます。麺類も1食で1杯食べてしまうのであれば、他の2食のごはんを茶碗半分にするといいでしょう。

・糖質制限を緩やかに上手に取り入れる

ここ数年、糖質制限食が大ブームです。

この食事療法では、糖質の多い食品を除く代わりに、肉や魚などのタンパク質や油脂をたくさん食べます。全体の食事量が減らないことから空腹感がないこと、むしろ満腹感が持続すること、痩せる効果が高いことから、かなりの支持を集めています。ブヨブヨの体が3か月でムキムキの筋肉マンになるコマーシャルで有名なライザップも、ダイエットメニューの中身は厳しい糖質制限食です。

糖質制限食は、おそらくこれまで登場したダイエット法の中で、最も画期的、かつ強力な方法に違いありません。糖尿病治療を行う医療機関など、糖質制限食を提供する施設も日本中で増えています。血糖値を上げずに満腹感を得られる糖質制限食は、糖尿病の改善にとって大変都合がいいです。

ただこの方法は、従来の減量法とあまりに違うことから、かなりの反発や批判を受けています。

従来の減量法は、既に紹介した通り、必要なエネルギー量の6割を炭水化物（糖質）で摂取するというもの。1日3食、しっかりごはんやパンを食べる方法です。それが糖質制限ではほとんどゼロになります。従来の方法では控える油脂類をかなり多く摂取します。

従来の方法を普及してきた専門家にとって、糖質制限食は異端も甚だしい。しかも本当に痩せるとあって、バッシングに近い批判が噴出している様子です。

そこで動脈硬化を防ぎ、血栓症を防ぐためには、どうすべきかを考えると、糖質制限を上手に取り入れるのもありだと思います。

ただし消化吸収力の低下している高齢者、また高タンパク食が負担となる腎臓が悪い人にはおすすめできません。

・糖質制限でも脂質は控えめに

糖質制限は〝制限〟であって禁止ではありません。糖質の多いものを控えることで食後血糖値は上がりにくくなり、内臓脂肪も減らせます。

主食である炭水化物は控えめに。例えば前述の1600キロカロリーの食事でも、ごはんやパン、麺類を減らして、代わりに肉、魚、豆類や豆腐などの量を多めにします。

調理に使う油は神経質にならず、普通に使います。

なるべく我慢した方がいいのは、お菓子や甘い飲み物です。代わりに、昆布やわかめなどの海草、豆類、野菜、こんにゃくなどの食物繊維をたくさん取り入れます。

糖質制限の特徴に、糖質を控えるだけでなく脂質をたくさん食べていい点があります。脂質は食後血糖値を上げず、腹持ちがいいのが特徴です。バターやオリーブオイルなどを自由に摂っていい食事は満足感も高くなります。

しかし脂質は消化吸収されて血中に入るので、コレステロールや中性脂肪は高くなる可能性があります。これでは動脈硬化は進んでしまいますし、血栓症にとっては発症の土台になってしまいます。糖質制限食がうまくいかなかった人の中には、体重は減ったけれど脂質のコレステロールや中性脂肪が高くなったという人が多いようです。

動脈硬化を予防・改善するためには、やはり脂質の摂りすぎには注意が必要です。

・食事はベジタブル・ファーストで

最近、健康的な食事の仕方で注目されている方法にベジタブル・ファースト、通称ベジ・ファーストがあります。この方法は、文字通りベジタブル、野菜を一番先に食べる方法です。

たとえば主食のごはん、主菜のハンバーグ(付け合わせにほうれん草ソテー、ポテトフライ)、副菜の野菜サラダ、スープがあったとします。この時、まず最初に箸をつけるのは野菜サラダです。野菜サラダとハンバーグの付け合わせをあらかた食べたら、ようやく主菜のハンバーグ。ごはんは一番最後に食べます(スープはいつでもかまいません)。

どうせ食べてしまうんだから、順番なんか関係ないと思うかもしれませんが、そうではありません。

野菜は総じて食物繊維が豊富です。食物繊維には人の消化酵素ではなかなか消化しきれない成分が多く、消化吸収が遅くなります。すると糖質の吸収が緩やかになるため、食後の高血糖を避けることができるというわけです。後から食べるごはん(糖質)がゆっくり吸収されるようになります。これで食後、血糖値が急上昇することが防げます。

食後高血糖は、血管を傷つけ(グルコーススパイク)、動脈硬化を進行させる最大の危険因子です。ベジタブル・ファースト、つまり食べる順番を野菜が一番に変えるだけで、食後の高血糖が防げ、血管を守ることにつながります。

糖尿病の予防や、既に糖尿病になってしまった人の高血糖の改善、インスリン抵抗性の改善にもベジ・ファーストは有効とされています。

食後高血糖は肥満のもとでもあります。これは誰もが体感していることですが、お腹が空いている時には、一番先に口に入れたものが勢いよく体に吸収されていきます。それが炭水化物なのか、野菜なのかで、取り込まれ方が違うのです。

・炭水化物はゼロにしない

ベジタブル・ファーストとは、食物繊維やビタミン、ミネラルなど、低カロリー、低糖質なものを、先に食べましょうということです。

〝先に食べたいもの〟は、ある程度たくさん食べても太ることはなく、満腹感を得られ、かつ肥満解消に働く食品です。逆に、〝最後に食べたいもの〟はごはん、麺、パン、お菓子などの炭水化物（糖質が多い）、油脂などで、量的にも控えたいものです。

ただ、控えたいとはいっても、ゼロにするのはおすすめしません。

糖質制限食の難点として、炭水化物などの糖質を一切シャットアウトすることが挙げられます。しかし炭水化物のごはん、パン、麺などは穀物なので、もともとかなり食物繊維を含んでいます。炭水化物を食べないということは、主食分の食物繊維をカットすることになるのです。

ですので炭水化物は、ゼロにするのではなく、控えめに食べる。できれば玄米や雑穀米、全粒粉のパンや麺にして食物繊維をしっかり摂取しましょう。

動脈硬化を改善し、血栓症を防ぐ食事では、積極的に食べた方がいいもの、控えめにした方がいいものがあり、同じ炭水化物でもオススメのもの、同じ油でも血管にいいものなどがあるので、選んで食事することが大切です。

・積極的に食べたいもの、控えめにしたいもの

同じ穀物でも食物繊維の多い穀物(玄米や雑穀米、全粒粉のパンや麺)はおすすめです。

納豆、豆腐、高野豆腐、油揚などの大豆製品、いんげん豆、ひよこ豆などの豆類はタン

パク質も食物繊維も豊富なので、積極的に食べてほしい食材です。ただし同じ豆類でも、調理済み食品の煮豆、あんこなどは糖質が多いので控えめに。

魚ではアジやイワシ、サバなどの青魚が、ＤＨＡやＥＰＡなど血液をサラサラにする不飽和脂肪酸が豊富なのでおすすめです。

ヨーグルトやチーズなどの発酵乳製品は、腸内環境を整えます。発酵食品では他にキムチ、ぬか漬けなども同様ですが、漬物は塩分が多いので食べ方に注意が必要な食品でもあります。

野菜はほとんど全てのものが低カロリー、低糖質、ビタミンやミネラル豊富で、常に積極的に食べたい食品です。

控えめにしたい食品は、塩分の多い汁物や漬物、汁そばなどです。ただし〝食べてはダメ〟なのではなく、栄養バランスを考えて控えめにするということです。ケーキやクッキーなどの甘いお菓子、ジュースなどの甘い飲み物はやめられるのが理想です。

【塩分を控える】

血栓症の心筋梗塞や脳梗塞などの直接の引き金にもなる高血圧。その原因は、塩分の多い日本の食事だとされています。

日本人の食塩摂取量は1日平均13gです。日本人の食事摂取基準（2015年版）では男性8g未満、女性7g未満が1日の塩分摂取目標ですので、目標の1・5倍もの塩分をとっていることになります。

WHOが提唱する塩分量はもっと少なく1日6g。日本高血圧学会が推奨する塩分量も6gです。

私達がふだん食べている食品の塩分量は、どのくらいなのでしょう。

味噌汁	1・5g
塩鮭（甘口）1切	2・1g
うどん（温）	5g
ラーメン	5g

焼きそば　4・5g
かつ丼　3g
コロッケ（ソースつき）1・8g
とんかつ（ソースつき）3g
インスタントラーメン　5・1g
カップヌードル　2・6g

1日の塩分量の目標は8g（男性）なので、お昼ご飯にラーメンを1杯食べると、後は3gしかありません。日本の食品や料理は総じてしょっぱくて、それをおいしいと感じていることが減塩を難しくしています。

・減塩の工夫

ふだんしょっぱいものを食べていた人が、しばらく病院に入院すると塩分の少ない病院食になれ、退院後の自宅の食事をしょっぱいと感じることがあります。要するに塩分は慣れであって、少ない塩分に慣れるのは難しいことではありません。

高血圧を予防・改善し、血栓症を防ぐためには、減塩の工夫をしていきましょう。

まず1日3回の食事の中で汁物を減らします。たとえば3回のうち1回は汁物を食べないようにします。みそ汁やお吸い物は必ず具沢山にして、汁の量を減らすのもおすすめです。

減塩食をおいしくするために、お酢や香辛料を効かせるというワザがあります。お刺身のつけ醤油をポン酢にする。餃子には醤油なしの酢と胡椒で食べる。酢の物はお砂糖と酢だけでもおいしく食べられます。カレーやマーボ豆腐のような辛い料理は、塩分控えめでもあまり気になりません。

お醤油をつけて食べる料理はたくさんあります。お刺身、おひたし、餃子やシュウマイなど。こうしたものの中には、もともと味がついていて、お醤油のいらないものも多いのです。お醤油はかけるのではなく小皿に少量たらし、料理をちょっとだけつけて食べると、料理の味がよくわかります。

減塩が推奨される今日、減塩調味料や減塩食品はたくさんあります。買い物の時には意識して減塩食品を買い、ふだんの食事に使いましょう。

・外食の工夫と血圧を下げる食品

外食の場合は自分で味付けできない場合がほとんどです。そんな時は料理そのものを変えてみます。

例えば毎日、お昼ごはんに麺類を食べていた人は、1日おきにしてみます。塩分の多くは汁に入っているので、汁をあまり飲まなければかなり塩分を減らせます。ざる蕎麦など汁を付ける食事にし、スープを摂らないようにします。

外食が多い場合、塩分が少なくてもおいしく食べられる食事を組み合わせて、1週間全体で塩分を減らす方法を考えてください。

会食が多い人は、薬局などに置いてある食品と塩分がわかる冊子を持ち歩くか、スマートフォンの検索機能や塩分コントロールアプリなどを利用して、塩分を摂りすぎない食事を選ぶ工夫をしてみましょう。

体内の重要なミネラルの一種であるカリウムは、野菜、果物、豆、いも類に多く含まれていて、血圧を下げる働きがあります。

逆に不足すると血圧を上げる方向に傾くので、ふだん気をつけてこれらの食品を食べるようにしましょう。

ただし、腎臓の悪い人はカリウムは制限しなくてはならないので注意しましょう。

・動脈硬化を予防・改善する栄養成分とサプリメント

動脈硬化を予防・改善するためには、禁煙、肥満解消、減塩や栄養バランスを考えた食事が大切です。可能であれば栄養士や医師の指導に基づいた細やかな食事療法が実行できれば、高血圧や糖尿病、脂質異常症などの改善もできるでしょう。

しかし忙しい生活で、なかなか食事療法が難しい人、自分なりにやってみてもうまくいかない人もいます。そうした人の助けになっているのが栄養剤やサプリメントです。

動脈硬化を予防・改善する栄養成分は、血管と血液の両方に必要です。硬くなった血管をしなやかで丈夫にし、ドロドロと粘度が高い血液を、サラサラと滞りなく流れるようにするために、さまざまな栄養剤、サプリメントがあります。

ここでは栄養成分であり、サプリメントにもなっている有名なものを紹介しておきましょう。

▼ナットウキナーゼ

納豆のネバネバの正体は、ナットウキナーゼという酵素です。この酵素には血栓そのものを溶かす働きがあります。

ただし既に心疾患などがあり、抗凝血薬のワーファリンを飲んでいる人には、食品の納豆は要注意です。納豆にはナットウキナーゼの他にビタミンKが含まれています。ビタミンKは血液を固める作用があるので(出血を止める)、ワーファリンの働きを弱めてしまいます。

▼DHAとEPA

DHAとEPAはどちらも不飽和脂肪酸で、魚の中でも青魚(イワシ、サバ、サンマなど）に多く含まれている必須栄養素です。

ＤＨＡ（ドコサヘキサエン酸）は血管の弾力性を高めたり、赤血球の柔軟性を向上させる効果があります。ＥＰＡ（エイコサペンタエン酸）には血栓をできにくく、血液サラサラにして血流をよくする働きがあります。

▼ポリフェノール類

ポリフェノール類は抗酸化作用によって細胞の酸化を防ぎ、動脈硬化の予防や改善を助けます。人参などの緑黄色野菜に多いβカロテンやトマトに含まれるリコピンは、ＬＤＬコレステロールが酸化し、粥状動脈硬化を形成するのを防ぐ働きが期待できます。

タマネギに多くふくまれるケルセチンというポリフェノールは、脂質類の吸収をさまたげ、体外へ排出する働きがあります。

▼アルギン酸

アルギン酸は、コンブやワカメなどのぬめり成分です。水溶性の食物繊維であり、糖質の吸収をゆるやかにして、食後血糖値の急激な上昇を抑えます。また吸着性が高く、コレステロールを吸着し、体外に排泄します。大腸内で発酵・分解され、善玉菌を増やして腸内環境を整えます。便秘や肥満の解消を助けます。

▼ビタミンC、ビタミンE

ビタミンCとビタミンEは、どちらも抗酸化ビタミンとしてよく知られています。ポリフェノール同様、ＬＤＬコレステロールの酸化を防ぎ、血管の動脈硬化の進行を抑えます。ビタミンCとビタミンEは、一緒に摂取するとより強力に作用します。

▼流化アリル、アリシン

血液サラサラ効果で知られる玉ねぎに含まれる流化アリルには、血液の凝固を抑制する働きがあります。この流化アリル、玉ねぎを切った時に細胞が破壊されると、酵素の働きによってアリシンに変わります。アリシンにも殺菌作用や抗酸化作用があり、血液をサラサラにして血栓ができるのを予防します。

他にもビタミンDやビタミンB_{12}、乳酸菌、コエンザイムQ10、イソフラボンなど、様々な栄養成分が、動脈硬化の予防や改善によいとされています。こうした栄養成分は野菜や海草など食品に含まれているものがほとんどなので、普段の食事の中で充分摂取できるのであれば、それにこしたことはありません。

しかし忙しい現代人は、意識していても、なかなか完璧な食事は続けられないものです。そうした人は、サプリメントを使うことで不足を補い、食事全体のバランスを整えましょう。

・動脈硬化を改善し、安全に血栓を溶かす酵素とは？

今、ある生物由来の物質で、直接血栓を溶かす働きを持つことで注目されている酵素があります。この酵素は、医薬品に匹敵する血栓溶解作用を持つことから、動脈硬化がかなり進んでいる人、血圧がかなり高い人、脂質異常症を指摘されている人など、血栓症のリスクをたくさん抱えている人にも有用性が高いとして、健康関連雑誌などでもたびたび取り上げられています。

本書の第6章では実際にこの物質のサプリメントを使って、健康問題を解消できた人が紹介されています。以前に脳梗塞を経験した人には回復を助ける働きがあり、再発予防効果もあるようです。効果はもちろん安全性の高さに特筆すべきものがあります。

また医薬品のような副作用のリスクがないため、数年前から大きな注目を浴びています。

この物質の研究開発は早いテンポで進んでおり、最近、血栓溶解作用がさらに強力になっているようです。第5章では、この生物由来酵素について詳しくご紹介していきます。

【運動】

・食事療法だけではダメな理由

動脈硬化を改善し血栓症を防ぐには、食事療法が欠かせません。ただ食事療法だけでは、体重は減っても体脂肪が減らず、筋肉や骨が減ってしまうことがあります。筋肉が減ると体力も落ち、ふだんの生活動作だけでも疲れてしまいます。

そこで食事療法と平行して運動療法を行うと、筋肉がつき、骨量も増えてきます。筋肉と骨は、どちらも使うこと、運動することで増えるという特徴をもった臓器です。しかも筋肉は、何歳になっても運動で増やすことができるのです。筋肉は脂肪より代謝がいいので、食事療法と平行して運動を行うことで体重減量が停滞するのを防げます。

また運動することで、脳下垂体から分泌される成長ホルモンの量が増えることがわかっています。

成長ホルモンは、別名若返りホルモンです。脂肪の代謝や、傷ついた組織や細胞の修復を助けます。筋肉や骨の形成が進むのも、成長ホルモンの働きによります。成長ホルモンによってＨＬＤコレステロールが増加、ＬＤＬコレステロールや中性脂肪が減少しますので、動脈硬化の予防や改善が認められています。血栓症を予防する有力なホルモンだと言えるでしょう。

成長ホルモンは睡眠時に分泌されるため、充分な睡眠時間が必要ですが、運動にも同様の効果があるので、運動しない手はありません。

他に、メタボリックシンドロームの要素である内臓脂肪を減らすのも運動です。内臓脂肪は、インスリンの効きを悪くするので、これを改善することができます。

ブラジキニンという物質が分泌されるとともに、一酸化窒素の生産も増加して血管が拡張します。その結果、血管の抵抗がなくなり、血液循環が改善されて、血圧が下がります。運動の時間は１回30分くらいで、週３回程度行うことが理想です。

・１回30分の有酸素運動を週３回、継続して行う

運動の中でもおすすめなのは有酸素運動です。たとえば歩く、軽いジョギング、水泳、水中ウォーキング、エアロビクスなど。軽く汗ばむ、呼吸が速くなる、ちょっとキツイ

と感じる程度で、30分くらいは続けて行える強度の運動です。

ふだん歩いていない人は、歩数で言えば1日5千歩くらいから、日常的に歩いている人は1日1万歩を目標にします。

苦しくて30分続けられないというのであれば、それはハード過ぎるということです。1日3千歩くらいから、といった具合に、自分に合った強度でまず行いましょう。

無理をして関節を傷めたり、ケガをしては元も子もありません。自分の運動能力に合った有酸素運動を30分、回数は週3回〜6回行います。体力がついてきたら運動の強度を上げて行います。

運動は、ひとりではなかなか続かないものです。パートナーや同年代の友人と一緒に、あるいはサークルやグループで楽しみながら行うと続けやすいでしょう。

悪天候で外で運動できない日は無理をせず、屋内でストレッチや柔軟体操などを行います。

・動脈硬化を改善するストレッチ（柔軟体操）

ストレッチ（柔軟体操）は、ランニングや水泳など本格的に運動を始める前に、ケガや筋肉痛を予防するために行う準備運動というイメージだと思います。ストレッチそのものは、手足のすじを伸ばしたり縮めたりする軽いもので、特に負荷がかかるわけではありません。

ところがこの単なる筋肉の収縮運動が、血管にも素晴らしい効果をもたらしていることがわかってきました。

スポーツ医学分野で行われてきた検証実験では、ストレッチ（柔軟体操）をしっかり行うことで、筋肉の柔軟性が得られるだけでなく血管も柔らかくなり、動脈硬化が改善することがわかってきたのです。

専門機関が中高年のボランティアに試してもらった実験では、10分のストレッチを1日2回、4週間行ってもらったところ、動脈硬化をはかるＰＷＶ（Pulse Wave Velocity／脈波伝播速度）という検査で、あきらかに動脈硬化が改善していることが証明されました。

逆に、体が硬い人は血管も硬いことがわかっています。

実験では、思いついた時に10分、15分とストレッチ（柔軟体操）をするだけでも血管は柔らかくなることがわかりました。ただ単発では効果もその時限りで、数日後には元に戻ってしまうようです。やはり毎日、朝夕、など継続して行うこと。それだけで動脈硬化が改善するのですから、やらない手はありません。

ストレッチ（柔軟体操）は、いつでも、どこでも、お天気に関わりなく行えます。身体的な負担もほとんどないと言っていいでしょう。時間も1日10分程度ですので、全ての人におすすめできる運動です。

※PWV検査…手と足の血圧の比較や脈波の伝わり方を調べることで、動脈硬化のレベルを数値として計測。動脈硬化だけでなく早期血管障害を検出することができる。

・まんべんなく各部位10秒は伸ばす

ストレッチ（柔軟体操）のやり方に決まったパターンはありません。テレビ体操や体操教室、雑誌や動画サイトで紹介されているものでよいのです。

ポイントは、全身の筋肉を時間をかけて伸ばすこと。頭から首、両肩、両腕の上腕、ひじ下、背中、脇腹、太股、膝、ふくらはぎ、足首などをまんべんなく、各部位10秒くらい伸ばし続けること。パッと伸ばして終わりではなく、一定時間伸ばし続けることで筋肉と血管の両方が伸びます。まんべんなく行っても、全部で10分くらいで終了します。

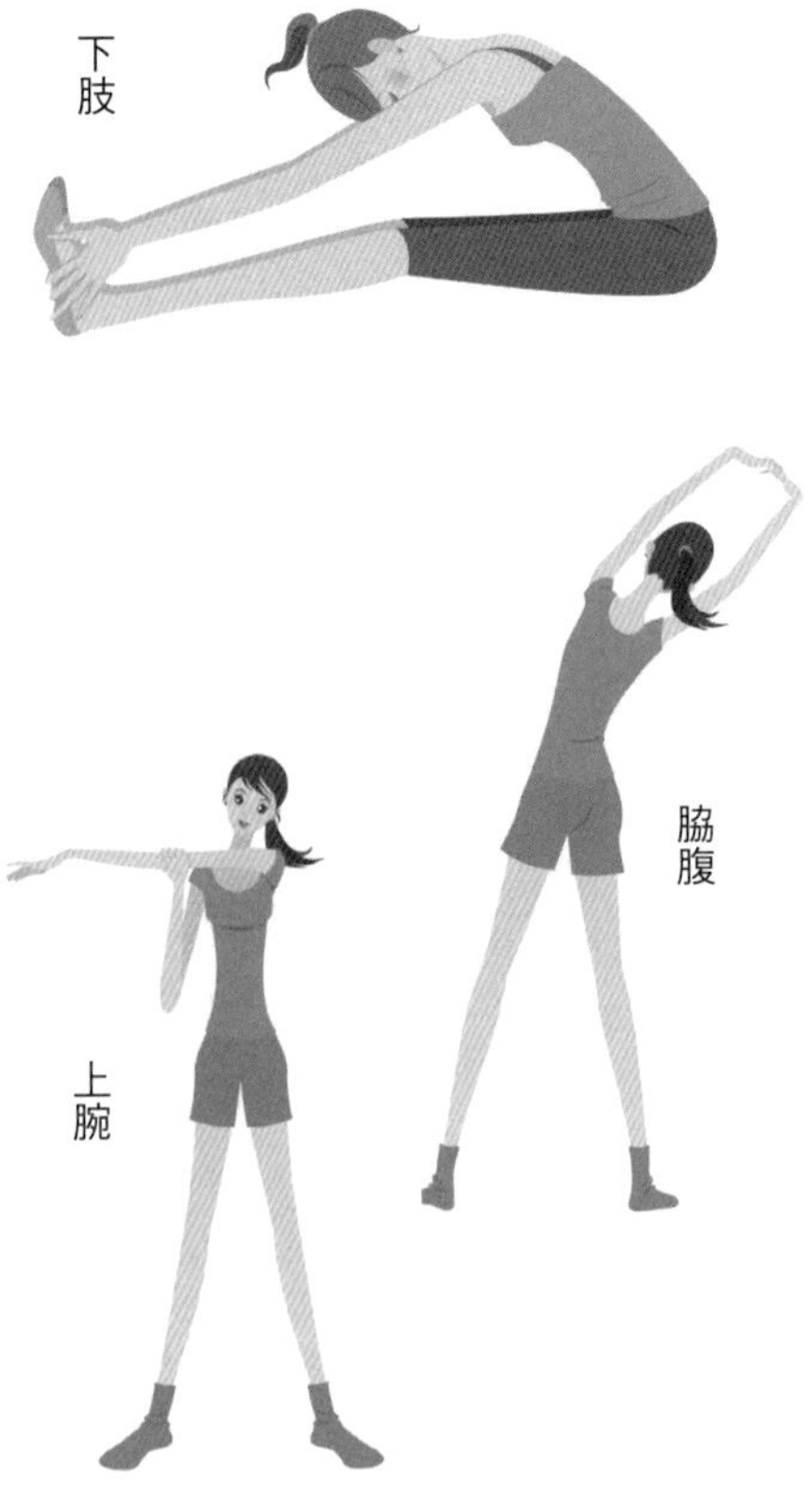

第5章

血栓溶解酵素（EFE）が血栓を溶かす

世界で最も多い死因は血栓症

日本人の死因のトップはがんです。しかし血栓症である脳血管障害と心臓血管障害で亡くなる人を合わせると、がんとほぼ同じ。つまり日本では、血栓症で亡くなる人とがんで亡くなる人はほぼ同じということができます。

世界に目を移すと少し事情が違います。がんが死因のトップなのは先進国の特徴であり、感染症、中でもＨＩＶ（エイズ）で亡くなる人が多い国もたくさんあります。

世界の死亡原因トップ 10（2016）

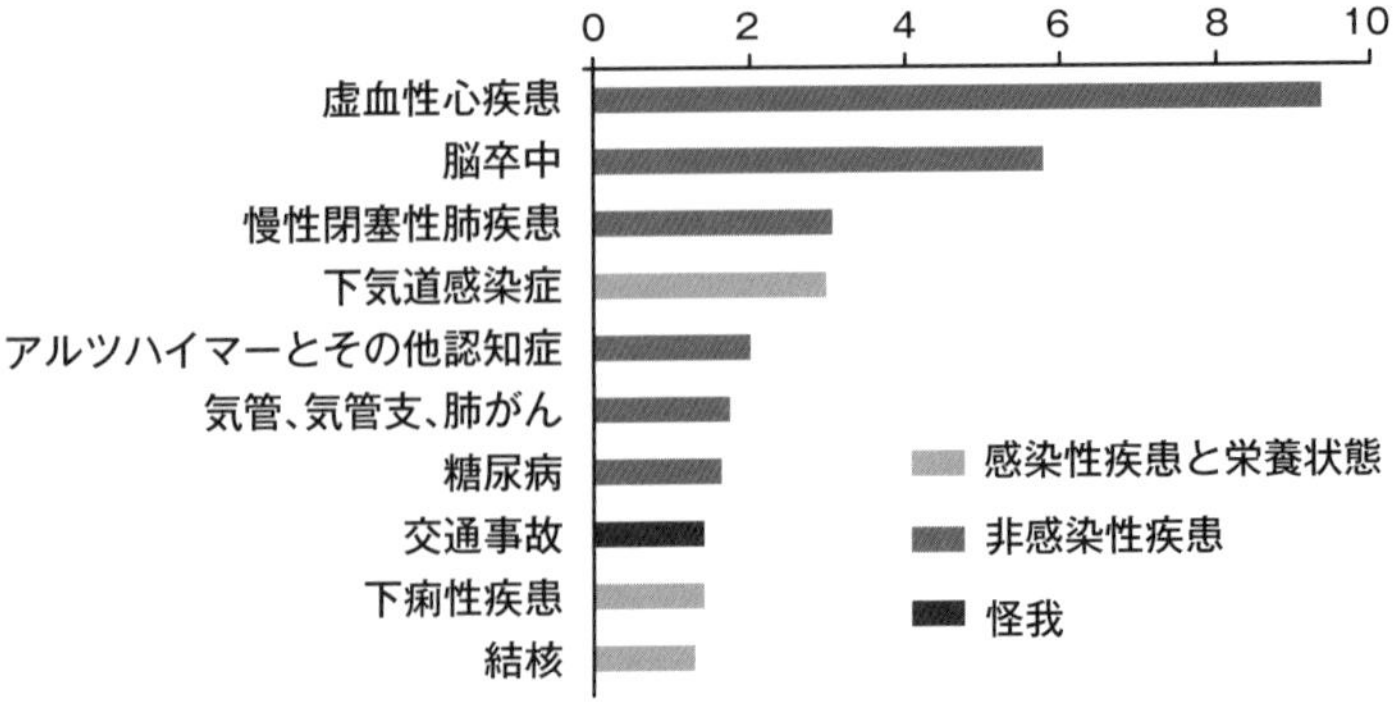

調査対象は、WHO 加盟地域（アフリカ、アメリカ、東地中海、ヨーロッパ、東南アジア、西太平洋）
The World Health Report 2016. Geneva:WHO;2016

ほとんどの国に共通しているのは、死因として最も多いのが血栓症であること。ＷＨＯ（世界保健機構）の調査（２０１６年）では、世界の死因のトップは虚血性心疾患、次いで脳卒中です。先進国であってもそうでなくても、人の命を奪う病気のトップは血栓症であるということになります。

従って世界各国で血栓症に関する様々な医学研究が行われており、治療法に関しても研究が盛んです。

本章では、この分野で今や世界トップクラスの学術研究が行われている中国の珍しい薬用素材をご紹介します。

血栓症治療を飛躍的に進歩させたｔＰＡ治療

ここで血栓症の治療薬について少しご説明します。

脳卒中や心筋梗塞など、脳であったり心臓であったりと発症する部位は違いますが、多くの場合、血栓症は血管の動脈硬化がベースにあります。

治療方法も共通しています。急性心筋梗塞や脳梗塞のような一刻を争うような状況では、カテーテルを血管に通して詰まりを除去し、血流を再開させる方法、あるいはｔＰＡ（組織プラスミノーゲン活性化因子）という薬で血栓を溶かす方法、あるいはこの２つを同時に行い、カテーテルで血管を広げながら患部にｔＰＡを投与する治療が行われます。

以前はカテーテル治療とｔＰＡ治療は、別々に行われていましたが、最近この２つを併用することで、治療効果が飛躍的に高まることがわかってきました。時間的な制約はありますが、可能な限り併用療法が行われるようになってきました。

血栓を溶かす薬ｔＰＡの効果はすばらしく、脳卒中や心筋梗塞の救急医療の現場では、なくてはならない薬となっています。

血液中には、フィブリンを溶かすタンパク質分解酵素プラスミノーゲンが存在します。プラスミノーゲンは血栓を溶かすためにプラスミンに変わりますが、ｔＰＡなどの血栓溶解薬はその作用を増強します。

失敗を重ねた後に登場したｔＰＡ

ｔＰＡが医療現場で使われるようになって三十数年になります。その始まりは１９８０年代前半。その頃、血栓溶解薬のｔＰＡ（組織プラスミノーゲン活性化因子）第２世代が開発されました。

この薬は血栓治療薬としては画期的で、「血栓そのものに作用しやすく、出血傾向は少ない」という理想的な特徴がありました。はじめは心筋梗塞の原因である冠動脈血栓症に有効性が認められ、その治療に用いられました。

早い段階でｔＰＡを投与すれば、血流が回復し、壊死の範囲を最小限にとどめることができます。治療効果が上がれば回復も早く、後遺症も少なくなります。この薬の登場は、血栓症の治療を大きく変えたと言えるでしょう。

それ以前に開発された血栓溶解薬には、ウロキナーゼやストレプトキナーゼといった薬があります。これらは血栓そのものを溶かす作用が弱く、にもかかわらず多めに使うと、逆に出血しやすくなるという欠点がありました。

そのためこれらの薬での治療の試みは、今日では失敗だと考えられています。その後のｔＰＡの誕生によって、治療薬は大きくｔＰＡにシフトしました。

血栓症治療の時間の壁

医薬品は、ほとんどの場合「両刃の剣」という側面があります。大なり小なり副作用がつきものです。ｔＰＡも同様です。よく効く薬だからといって、無制限に使うわけにはいきません。ｔＰＡは特に、よく効く薬だから気をつけて使わなければいけません。

ｔＰＡは、血管を詰まらせる血栓を溶かす薬です。以前の薬に比べれば出血傾向は減ったとはいえ、ゼロではありません。「血栓を溶かす」という作用には、「溶かさなくてもいい血の塊を溶かす」「出血する」というリスクがつきまといます。

そのためｔＰＡの使用には、脳梗塞の場合４・５時間、心筋梗塞の場合６時間以内といった治療開始時間の制限がついています。その時間を超えて使い続けると、溶かさなくてもいい血栓を溶かしてしまう可能性が出てきます。また時間がたつと、詰まった先の血管がもろく弱くなり、出血しやすくなる場合もあります。

脳梗塞の場合、血栓で血管が詰まるとその先の細胞に酸素や栄養が供給されなくなり、血管がもろくなります。その後、血栓を溶かすｔＰＡが投与され血流が再開すると、もろくなった血管が出血するリスクが高くなるのです。

心筋梗塞や脳梗塞の救急治療の場合、治療の前には詳しい検査を行います。救急治療であっても、可能な限りリスクを避けなければなりません。従って検査から治療までの時間を考慮した上での「4・5時間」、あるいは「6時間」です。

カテーテル等による治療でも同様のリスクがあります。治療のために血管に管を挿入するのですから、少なからず物理的な傷がつきます。血管の傷は血栓のもとです。そこが再び病巣になる可能性があります。

そうしたリスクのない、つまり出血という危険を伴わずに血栓を溶かすものがあれば、血栓症の治療は今よりずっと安全になります。そして救命率が上がり、間違いなく回復も早くなります。

日本で始まったミミズの血栓溶解酵素の研究

「出血という危険を伴わずに血栓を溶かす」。これは血栓症治療に携わる医療者、医学研究者にとって最大の課題です。また、実際に様々な試みが行われてきました。

血栓を溶かす物質の研究として、血栓溶解酵素というものが考案されましたが、その始まりは1983年、日本の宮崎医科大学においてでした。素材として登場したのがミミズです。

ミミズという生物は、一般的には釣り餌、あるいは土壌の改良に役立つ生物、という認識だと思います。ところが東洋医学の分野では、きわめて薬効のある生物として注目され、漢方薬の材料にもなっています。宮崎医科大学の研究でも、血栓溶解というテーマで白羽の矢が立ったのがミミズだったのです。

ミミズというのは、とても不思議な生物で、死ぬと、死体どころか皮も内臓も何もかも消えてなくなってしまいます。実際にミミズの生活できる環境を作って飼育すると、死んだミミズが跡形もなくなるそうです。

本当に消えてなくなるのではなく、死ぬと溶けてしまう。完全に分解され、土と化してしまうのです。

こうした現象から、「ミミズは、自分の体さえ溶かしてしまうタンパク質分解酵素を持っているのではないか」という仮説が成り立ち、実際にそうであることがわかりました。

そうして、ひょっとしたらこれは血栓を溶かす作用があるのではないか、という研究にたどりつきます。こうしてミミズの酵素研究が始まり、この時発見されたのがルンブルキナーゼという酵素です。

国立中国科学院生物物理研究所で最先端のミミズ研究

ミミズに含まれる繊維素（血栓）溶解酵素の研究は、その後、日本だけでなく韓国、中国で盛んになります。特に中国では、1986年、国立中国科学院生物物理研究所が、ミミズの繊維素（血栓）溶解酵素を研究するグループを立ち上げ、医薬品化の開発が行われています。

中国では伝統医療の素材として、古くからミミズを使っています。中国最古の医学書といわれる『神農本草経《しんのうほんそうぎょう》』にもミミズが記載されており、ミミズの薬効は大昔から認められていたものと考えられます。

漢方素材について情報を収集・公開しているウェブサイト「伝統医療データベース」によると、中国医学ではミミズを「地竜《じりゅう》」と呼び、解熱、気管支拡張、血圧を下げる治療薬として使っているとあります。ミミズを丸ごと乾燥し、粉末にして使用するとあります。ミミズの酵素と血栓症については言及されていません。ただミミズは、それほど歴史があり薬効のある生薬であるということがわかります。

ただし、ミミズなら何でもいいというわけではありません。ミミズの種類は多く、世界中に生息しているミミズは2千種類とも3千種類とも言われています。その中でも、血栓を溶かす酵素が豊富であり、医薬品として利用できるものはそれほど多くありません。

中国では現在ミミズから得られるペプチド（アミノ酸が結合したもの）が研究されていますが、医薬品として実用化されているのは、ミミズに含まれる繊維素（血栓）溶解酵素です。1990年には、特殊なミミズを3代に渡って掛け合わせ、繊維素（血栓）溶解酵素のための新種のミミズ、エイセニア・フェティダ（Eisenia Feteda）を誕生させています。

動脈硬化をターゲットにした研究から生まれたＥＦＥ

中国の国家機関が作り出した特殊なミミズ、エイセニア・フェティダ（Eisenia

Feteda）は、粉末に加工され、エイセニア・フェティダ・エンザイム（Eisenia Feteda Enzym）、略してＥＦＥです。

ＥＦＥは、はじめから動脈硬化をターゲットとして研究開発されました。繊維素（血栓）を溶かす性質の品種を選び、交配を繰り返して生み出したミミズから作られているので、天然自然の生薬として扱われるミミズ由来の漢方薬とはかなり違います。

自然のミミズ（地竜）から作られた漢方薬が、鎮痛や気管支拡張、血圧低下など幅広い薬効を持つのとは異なり、ＥＦＥは血管のトラブルである動脈硬化の改善だけが目的です。

ＥＦＥは中国では既に抗血栓薬として認可され、医療現場で使われています。中国の抗血栓薬のうちの、代表的な10種類のうちの1つになっています。

中国も経済成長に伴って生活が変化し、食の欧米化が進んでいます。昔に比べると乳製品や動物性脂肪などをたくさん食べるようになり、これに伴って動脈硬化が大きな問題になっています。高齢化もあって血栓症が増加している状態は、日本と変わらないです。血栓症に使われる薬も、基本的には日本とほとんど変わりません。しかし、抗血栓薬としてＥＦＥに注目し、臨床に応用している点は、日本とはかなり違うと言えるでしょう。

ＥＦＥの特徴は、選択的に血栓を直接、溶解することです。それだけでなく、血中のフィブリノーゲン濃度を減少させ、血小板の凝集も抑制し、血小板機能の正常化作用もあるなど、様々な角度から血栓溶解と血管の正常化をはかります。

しかも、他の血栓溶解薬と違って出血の危険もなく、経口で服用できます。副作用はほとんどありません。

全身の血栓症に有効なＥＦＥ

ＥＦＥが、どのような病気や病状の治療に使われているかご紹介しましょう。

●虚血性脳血管障害（脳梗塞）の予防と治療

●虚血性心臓血管障害（狭心症、心筋梗塞）の予防と治療
●静脈を含む全身の血栓症（末梢血管閉塞、深部静脈塞栓症、網膜中心静脈血栓症、眼底血管血栓など）の予防と治療
●突発性難聴、糖尿病性腎症、慢性腎炎、腎臓組織繊維症の治療と予防

動脈、静脈共に、血管に血栓ができて溶解しない場合は病的な状態です。動脈と同様に、静脈にも血栓はできます（静脈血栓症）。

静脈は心臓のポンプ作用で血液が流れるわけでないので、動脈のように大量の血液が勢いよく流れることはありません。その分血管は傷みにくく、また逆流を防ぐための静脈弁がついているなど、血流による障害が起こりにくくなっています。従って「静脈硬化はない」とされています。

それでも血流が長時間滞ると静脈にも血栓はできます。よく知られたエコノミークラス症候群は、足の静脈にできた血栓が、肺に移動して血管を詰まらせる病気です。突然死にもつながる恐ろしい血栓症です。

ＥＦＥは、口から飲むものなので、腸から吸収され、全身の血管に行き渡らせることができます。動脈も静脈も、太い冠動脈も目に見えない程の毛細血管にも、まんべんなく届けることが可能です。全身の血管にできた血栓を溶かすことができるというのが、ＥＦＥの特長だと言えるでしょう。

血栓溶解のメカニズムと治療による介入

ＥＦＥは、どのようにして血栓を溶解させるのでしょう。また、どのようにして出血に至らず、ベストのタイミングで血管内を正常な状態に導くことができるのでしょう。

凝固系（血液凝固因子）とは出血を止めるために生体が血液を凝固させる作用系、固まった血液（血栓）を溶かして分解するのが線溶系（線維素溶解系）です。ここでは主に、血栓を溶かす線溶系について詳しく説明します。

血液が凝固する場合、最初に血液中の血小板が集まりかたまりを作る血小板の凝集が起こり、次に血小板の周囲で血液中の凝固因子によるタンパク質の網、フィブリンでより強固な血栓に成長します。

このようにしてできた血栓を溶かす線溶系の主役はプラスミンというタンパク質分解酵素です。プラスミンはフィブリンとフィブリノーゲンを分解することで血栓を溶かします。

ただし、プラスミンは非常に強力なタンパク質分解酵素であることから、血栓がないのに血中に存在しては困ります。例えばケガをしてすぐに止血しなくてはならないのに、プラスミンは止血用の血栓を溶かしてしまいます。または血栓の材料であるフィブリノーゲンまで分解されてやはり出血を招くことになります。

従ってふだんは血液中に不活性なプラスミノーゲンという形で漂っており、必要な時だけプラスミンに活性化されるようコントロールされています。

プラスミノーゲンを活性化するのはプラスミノーゲンアクチベーター（ＰＡ）と呼ばれる酵素です。人の体内にはウロキナーゼ（ＵＫ）と、組織プラスミノーゲンアクチ

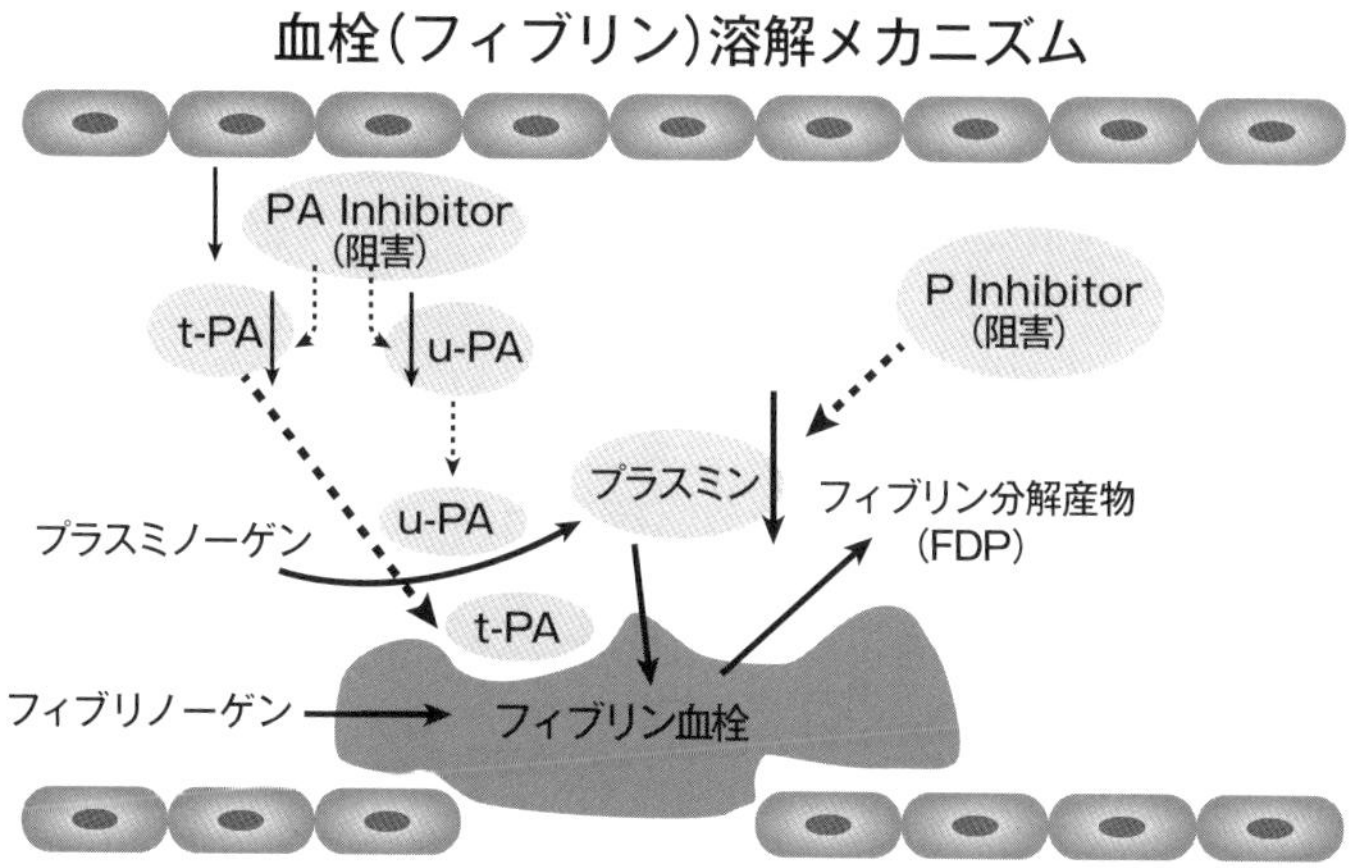

t-PA:組織プラスミノーゲンアクチベーター
u-PA:ウロキナーゼ（プラスミノーゲンを活性のあるフィブリン溶解酵素プラスミンに活性化する）
PAI:プラスミノーゲンアクチベーターインヒビター
PI:プラスミンインヒビター

ベーター（ｔＰＡ）の２種類が存在します。つまり血栓症の治療薬として重宝がられているｔＰＡは、もともと血液中に存在するｔＰＡを人工的に合成したものというわけです。

ＵＫは直接プラスミノーゲンをプラスミンに活性化しますがｔＰＡはフィブリンに結合して初めてプラスミノーゲンをプラスミンに活性化するという違いがあります。

また、プラスミンが不活性な状態を維持するために働いているのがプラスミンインヒビター（ＰＩ）です。ｔＰＡにはｔＰＡインヒビター、ｕＰＡにはｕＰＡインヒビターという抑制担当が存在し、活性を抑制することで線溶系をコントロールしています。

このような仕組みにより「必要なときに血栓が作られ、組織が修復されれば、血栓は溶かされる」というバランスがうまく保たれています。

肥満や炎症性サイトカインが凝固系と線溶系のバランスを崩す

血栓症は、血管が硬くなり内腔が狭くなって血流が悪くなった状態＝動脈硬化から発症します。そこで凝固系と線溶系のバランスが崩れてしまうのです。

バランスが崩れる理由は様々ですが、わかりやすい例は肥満です。脂肪細胞は大量のPAインヒビター（プラスミンを活性化しない）を産生するので、肥満者は血栓ができやすく、血栓が溶けにくくなるのです。

世界で猛威をふるう新型コロナウイルス感染症では、重症化した人たちの多くが全身に血栓症を発症しています。一説では、その背景に肥満があるのではないか、と言われています。

脂肪細胞で、ＰＡインヒビターの産生を増加させているのはＴＮＦ‐α（腫瘍壊死因子）と呼ばれるサイトカインです。ＴＮＦ‐αは炎症を起こすサイトカインの代表格で、ＰＡインヒビターを増加させるだけでなく、血管内皮からの抗凝固因子を低下させ、血栓を溶かす線溶系を抑制するので、血栓はますます溶けにくくなってしまいます。

さらに凝固の引き金となる因子の増加や、活性酸素による血管内皮の傷害などにも関わっており、動脈硬化を進行させます。

他にも様々な要因が重なり、血液の凝固能が亢進し、線溶系が抑制された状態が続くと、血栓は必要以上に成長し、血栓はますます溶けなくなります。それが心臓や脳の血管を閉塞させて血栓症が起こるというわけです。

ＥＦＥはどのように血栓を溶解するのか

ＥＦＥは、組織プラスミノーゲンアクチベーター（ｔＰＡ）やプラスミンと同じタンパク質分解酵素の一種です。ＥＦＥには、次のような働きがあることがわかっています。

①直接フィブリンを分解し、血栓を溶解する。
②ｔＰＡ（組織プラスミノーゲンアクチベーター）と同様にプラスミノーゲンを活性化してプラスミンに変えて、間接的に血栓溶解を助ける。
③過剰なフィブリノーゲンを分解し、フィブリノーゲンの量を減少させる。
④血小板の凝集と血液の粘度が高い場合は正常化させる。
⑤血管内皮のｔＰＡ（組織プラスミノーゲンアクチベーター）の合成を促進する。
⑥プラスミノーゲンアクチベーターインヒビター（ＰＡＩ）を抑制する。

ＥＦＥは、選択的に血栓を直接溶解するだけでなく、血栓の材料になる血中のフィブリノーゲン濃度を減少させ、血小板の凝集を抑制します。また血小板機能を正常化することによって血栓ができるのを防ぐなど、むやみに血栓を作らない、新たな血栓の形成も防ぐという幅広い作用を持っています。

つまりＥＦＥは、できてしまった血栓を溶かすだけでなく、これから血栓になる材料を抑制し、新しい血栓ができるのを阻止するのです。

ＥＦＥの臨床試験

ここでＥＦＥの臨床試験をご紹介します。

ＥＦＥは、次のような病気に対する効果を調べる試験が行われています。

・椎骨脳底動脈循環不全
・不安定狭心症

・閉塞性動脈硬化症
・脳梗塞
・心筋梗塞
・深部静脈血栓症
・血栓性静脈炎
・網膜中心静脈血栓症
・動脈硬化閉塞症
・突発性難聴
・メニエール病

予防に関しては脳梗塞、心筋梗塞において臨床試験が行われています。

これらの中から、いくつか抜粋して臨床試験の内容を紹介します。いずれも中国の研究機関においての試験です。

【閉塞性動脈硬化症】▼有効率１００％

▼実施機関・中国医学科学院　血液学研究所血液病医院、中国協和医科大学（試験報告掲載誌『首都医薬』１９９９年）

閉塞性動脈硬化症は、高齢者の血栓性疾患としてよく見られる。ＥＦＥを塞性動脈硬化症の患者48例に使用し、良好な結果を得たので報告する。

患者48例（男性31、女性17）、年齢51～76歳、平均は67・5歳、合併症として狭心症7例、高血圧19例、糖尿病14例、脳梗塞後遺症３例であった。病状の診断分類としては早期13例、中期35例。

観察指標として、主に治療前後の症状と徴候、血流量、血液粘度、フィブリノーゲン、足関節上腕血圧比（動脈硬化の状態を把握する方法）で判断した。

治療方法はＥＦＥ2カプセルを1日3回、6週間服用。改善状況は下肢の疼痛、冷感、跛行で判断した。

◆**結果**

治療前は平均して足の疼痛2.16±0.79、冷感2.96±1.45、跛行1.94±0.75だったが、治療後は足の疼痛0.87±0.19、冷感1.38±0.75、跛行0.73±0.26と改善した。

血管周囲病専門委員会の判定…治癒19例（39・5％）、著効21例（43％）、有効8例（16・7％）と全患者に有効であった。

※閉塞性動脈硬化症……動脈硬化のために血管が狭くなり、酸素や栄養が届かない部位の機能が低下する。発症しやすいのは下肢で、歩いているとだんだん歩けなくなる（跛行）が、しばらく休むと再び歩けるようになる。下肢に傷ができると治りにくい。糖尿病に合併すると、足の先に酸素や栄養が届かなくなって腐り、最悪、切断に至る。

【椎骨脳底動脈循環不全によるめまい】▼有効率89・71％

▼実施機関・江苏省南京市白下区建中中医院

椎骨脳底動脈循環不全によるめまいは、臨床上よく見られる疾病である。めまいのために立つことも歩くことも不安定になるというのが主症状である。動悸や発汗を伴うこともある。中高年の発病率は高く、女性にとりわけ多く見られる。

南京市白下区にある中医院（中国医学の医院）でＥＦＥを治療に使い、結果が良好であったので報告する。

治療方法はＥＦＥ2カプセルを1日3回21日間服用。対照は丹参注射液（丹参…漢方薬の1種）を1日1回、21日間注射である。判断は全快：めまいの症状消失、著効：症状の明らかな軽減、有効：症状の軽減、生活や仕事に少し影響する、無効：症状に変化なし。

◆結果

結果は治療群／対照群として、全快：45／12例、著効：16／8例、有効：8／4例、無効3／2例。有効率は89・71％／66・67％であった。

【脳梗塞】▼有効率88％

▼実施施設・第二軍医大学長征医院神経科、上海第二医科大学瑞金医院神経科、他。（試験報告掲載誌『中国新薬雑誌』）

ＥＦＥの脳梗塞患者による有効性と安全性を判断するため、４施設においてプラセボ対照の無作為二重盲検試験を行った。被験者は脳梗塞を発症して３週間経過した患者73例（治療50例、対照23例）。治療群はＥＦＥの医薬品２カプセルを１日３回28日間服用、対照群はプラセボ２カプセルを１日３回28日間服用させた。

両群に降圧剤は許可したが、試験に影響する抗血小板、抗凝固剤等の使用は禁じた。判定は治療前と28日の治療後に凝固能、線溶系活性、血液学的な指標（血小板凝集率、血漿粘度）、肝臓と腎臓機能、また、ＣＳＳ（Chinese stroke scale）による神経機能の回復と生活能力表（８級別）を指標とした。

28日の治療後、プラセボと比べ、治療群のFg（フィブリノーゲン）値は下がり、Ｄ-dimer（血栓溶解の度合い）とｔＰＡは上昇、ＰＡＩは有意に減少した。

また中国卒中基準であるＣＳＳ（Chinese stroke scale）による判定では、プラセボの有効率47・８％に比べて有効率は88％に達した。また、肝臓と腎臓機能、血小板、赤血球に何ら影響は見られなかった。

【網膜中心静脈閉塞症】▼視力改善率91％

▼試験施設・北京天坛医院　（試験報告掲載誌　首都医薬１９９９）

網膜中心静脈閉塞症は動脈硬化が原因で静脈が閉塞し、血管が破れて出血を起こす病気。高齢者に多く、視力の低下、失明する場合もある。

１９９６年10月～１９９８年８月にかけて、24例の網膜中心静脈閉塞症の患者を治療し、その内12例はＥＦＥの医薬品を使って良好な結果を得た。ＣＳＳ判定による神経機能の回復率を報告する。

24例の網膜中心静脈閉塞症患者、年齢51～74歳（平均56歳、男子10例、女子14例）。全て初発で一週間以内に診察を受けている。全て片目の発症。内訳は網膜静脈分枝閉塞症11例と網膜中心静脈閉塞症13例。また20例は高血圧と動脈硬化があった。

試験では24人の患者を12人ずつの２組に分け、治療群はＥＦＥ２カプセルを１日３回３週間服用させ、その他血管拡張剤等は使用していない。対照群は低分子デキストリンとリガストラジン（Ligustrazine、抗血小板薬）の静注、血管拡張薬とビタミン（C，

Ｂ、Ｅ）による治療を3週間行った。
治療前と3週間の治療後に血漿フィブリノーゲン（Fg）値、視力及び眼底検査で判定した。

3週間の治療後、対照群の視力改善率は58％に対し、ＥＦＥの医薬品の改善率は91％に及んだ。血漿フィブリノーゲン（Fg）値は対照で5・1±1・4から4・8±0・9、治療組は5・5±1・2から4・1±0・7と改善した。

【不安定狭心症】▼有効率90％

江苏省南京市紅十字医院（江蘇省南京市赤十字病院）。50例の狭心症による不安定な胸の痛みを治療し良好な結果を得たので報告する。（試験報告掲載誌『首都医薬』2004年）
2000～2003年にかけて、南京市赤十字病院で不安定狭心症と診断された患者100名を2組（A組、B組）に分けた。A組の50名はニトログリセリン静脈注射、ヘパリンの皮下注射、硝酸エステル類の服用という通常治療を行った。B組の50名はカルシウム拮抗剤またはβ受容体阻害薬を基本としてEFE2カプセルを1日3回服用させ、28日間治療した。

結果は作業負荷による狭心症発作の回数、持続時間、ニトログリセリンの消費量、心電図の変化により判定した。

著効：狭心症の発作消失、またはあってもニトログリセリンの使用は80％以上減少、また合併症は無い。有効：発作はあるがニトログリセリンの消費量は50〜80％減少、合併症は無い。無効：発作は変わらず、ニトログリセリンの使用量の減少は5％以下、合併症あり。

治療結果として、通常治療のA組は著効20％、有効50％と70％に有効性が見られた。EFE治療のB組は著効40％、有効50％、その有効率は90％に達した。

【その他】

下肢深部静脈血栓症ではＥＦＥ２カプセルを１日３回服用で21日間治療し、有効率79・99％（著効率28・57％）。

血栓性静脈炎の患者20例では腫脹（好転11、消失９）、疼痛（好転８、消失12）、循環（改善９）が見られています。

突発性難聴ではビタミンＢ群、血管拡張剤という従来の治療に加えることで、患者27例の内、著効16、好転８、無効３、総有効率は88・９％（24例）。

メニエール病ではＥＦＥ２カプセルを１日３回、14日間の治療で患者36例の内、治癒28、著効７、無効１、総有効率は97・22％。

ＥＦＥの確かな安全性

ＥＦＥは中国では血栓症治療薬として医療現場で長く使用され、医薬品としての有用性に関するたくさんの臨床試験が積み重ねられてきました。

効果の高さもさることながら、血栓を溶かす薬につきものの出血傾向がほとんどないので、安全性の高さは折り紙つきです。

医薬品は、いったん市場に出た後も、安全性に関して繰り返し検証する必要があります。ＥＦＥも様々な安全性試験を繰り返しています。その中から代表的な試験を次に紹介しておきます。

まず中国での試験です。ラットによるＬＤ50（半数致死量）の量を1／4量、1／10量、1／50量を、2週間にわたって皮下注射した毒性試験では、死亡例はなく、ＧＰＴ、赤血球、白血球、肝臓、腎臓に何ら影響は見られないと報告されています。

ＥＦＥによる復帰突然変異試験（Ames 試験、細菌を用いて遺伝子に突然変異が起こらないかどうか調べる）、培養リンパ球による染色体異常試験など、変異原性試験の結果も全て陰性です（以上は北京百奥药业有限責任公司によるデータ）。

日本国内では、北里大学医学研究所の基礎医学検査センターで行われた経口によるマウスの急性毒性試験でも生化学的検査、病理学的検査ともに対照群と何ら相違は見られないと報告されています。

原産国の中国、日本の両国に置いて様々な試験を積み重ね続けており、ＥＦＥの安全性は非常に高いと言えるでしょう。

『ネイチャー』の表紙を飾った研究機関が作ったＥＦＥ

ここまでエイセニア・フェティダから作られた血栓溶解酵素ＥＦＥのご紹介をしてきました。研究開発にあたったのは本章の冒頭でもご紹介した中国科学院生物物理研究所は、中国ではもちろん、世界でもトップクラスの研究機関です。

１９５８年に創立され、生物学的に重要なタンパク質の三次元構造の解析など、分子構造生物学による研究を中心に、ペプチド薬物の開発、免疫の分子生物学的メカニズム、脳機能の分子生物学的解明を研究目標としています。

この研究機関は、世界的に最も権威ある科学誌として知られる英国の『ネイチャー』のトップを飾ったこともあり、その技術・開発力が紹介されています。

中国での臨床試験、医療現場での使用、また豊富な科学的なデータから、ＥＦＥの血栓症に対する高い有用性は明らかです。血栓を溶かす作用は高く、出血傾向はほとんどなく、安全性も高いことからサプリメントにも転用され、普及も進んでいます。第６章で実際に日本でＥＦＥを使用している方達の症例を紹介しています。

日本でのＥＦＥは医薬品ではありませんが、医薬品と同じ薬用素材を用い、安全性を第一に配慮したサプリメントになっています。実際にたくさんの人の血栓症や血管に関連した不調を改善しています。

製造は、中国科学院生物物理研究所によって設立された製薬メーカー「北京百奥薬業有限責任公司」で行われています。この企業は中国でも有数の設備と技術を誇る製薬会社として知られており、品質において最高レベルです。

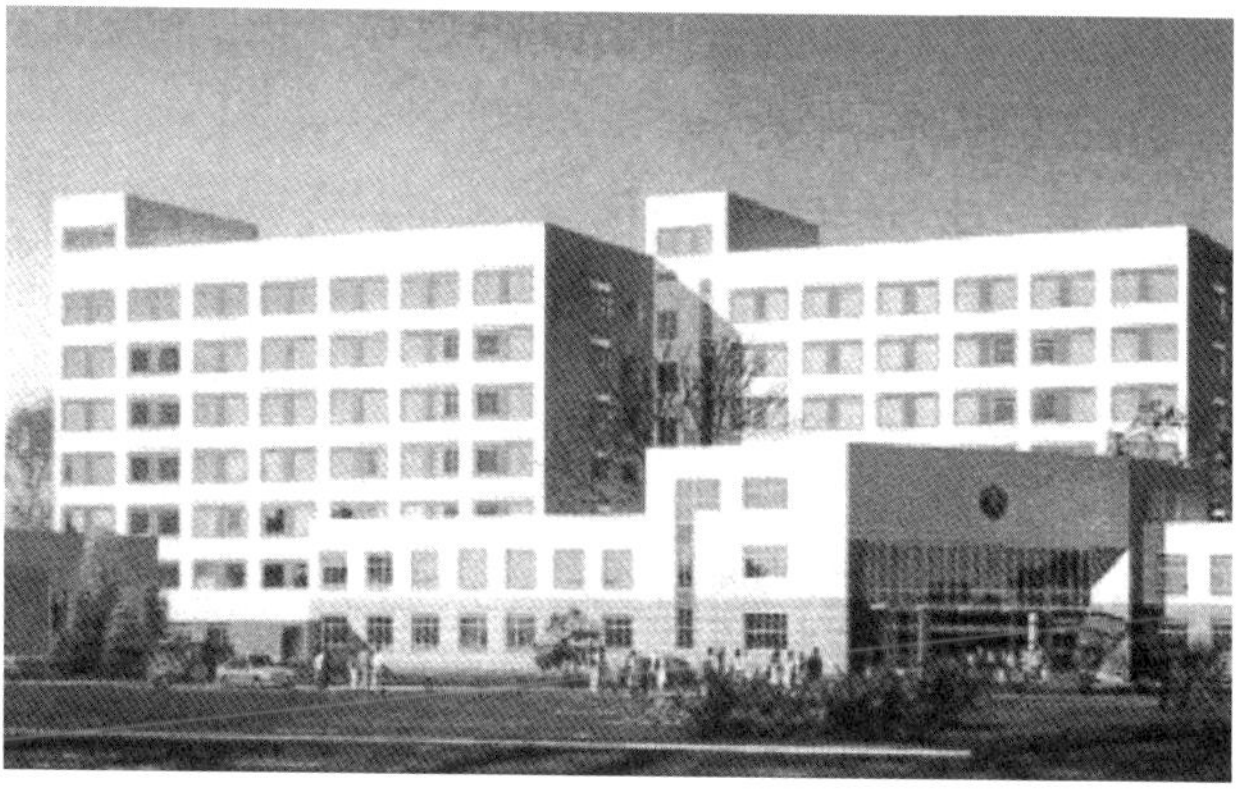

中国科学院生物物理研究所

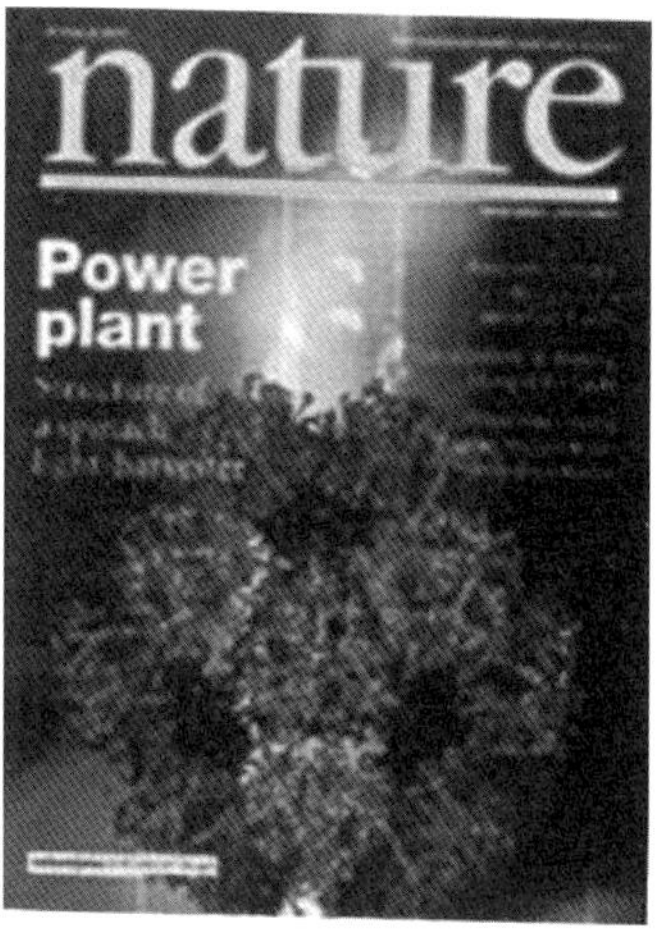

ネイチャーの表紙

ミミズ由来サプリメントだから可能なバランス

ＥＦＥには医薬品とは異なるメリットがあります。まず第一に、医薬品に匹敵する血栓溶解作用があるにもかかわらず、出血などのリスクがないこと。「血栓を溶かす力はある」が、「出血させる作用はない」という点です。

すぐれた働きで評価の高い医薬品のｔＰＡでも、濃度が高くなり過ぎると出血につながります。

出血の危険を回避するために、心筋梗塞や脳梗塞などの発症後、使用可能な有効時間が厳しく定められています。出血のリスクを回避するために、医療現場でどれだけ慎重に治療が進められているかは想像に難くありません。それでも、治療中に出血という事態に至ることはゼロではありません。

そうしたリスクがＥＦＥにはありません。これは驚くべき安全性であり、驚くべきバランスと言えます。

しかしそのバランスは、ヒトの体内で行われている自然のバランスに通じると言っていいでしょう。血液を固める＝凝固作用と、固まった血を溶かす＝線溶作用は、本来ヒトの体内でバランスよく行われているのです。同じようなバランスで体内で作用することがＥＦＥには可能であるということは、ミミズという不思議な生物の持つ生命力のなせるわざなのかもしれません。

動脈硬化をターゲットに配合された健康素材

ＥＦＥのサプリメントには、様々な健康素材が配合されています。「血栓を溶かす」という一義的な目的だけでなく、様々な角度から、動脈硬化が進む年代の健康をサポートすることが狙いです。

心筋梗塞などの心疾患、脳卒中などの脳血管疾患をはじめ、全身の血管疾患のトラブルの背景には動脈硬化があります。裏を返せば、動脈硬化を改善できれば、多くの血管疾患、心筋梗塞も狭心症も脳卒中も予防できるのです。

万一発症しても、進行を抑え、再発を防ぐ可能性が高くなります。動脈硬化をターゲットとしたサプリメントはたくさんありますが、ＥＦＥほど直接、動脈硬化の改善につながるものは他にないと思います。

そして医薬品ではないことから、様々な健康素材を配合して、総合的に健康をサポートすることが可能なのです。


ＥＦＥのサプリメントに配合されている健康素材は次の通りです。

▼紅参

紅参《こうじん》とは薬効を高めるために加工した高麗人参のことです。生の高麗人参を水洗いし、サポニン（薬用成分が豊富）が多く含まれている皮ごと蒸し、乾燥させたものです。その過程で色が赤褐色になることから、紅参と呼ばれています。

その薬効成分サポニンの薬効は、動脈硬化の改善です。総コレステロールの減少、ＨＬＤコレステロールの増加、血小板の粘着機能減少などから血管の老化、動脈硬化の進行を抑え、改善します。

▼オリーブの葉エキス

オリーブの葉から抽出したエキスには、オレウロペインというポリフェノールが含まれています。この物質は高い抗酸化作用で血管の老化を防ぎ、血糖値や血圧を下げ、中性脂肪やコレステロールを減少させ、メタボリックシンドロームの予防や改善を助けます。

▼ルチン

そばや柑橘類などに含まれるポリフェノールの一種で、血管の老化を防ぎ、血液をサラサラにして血流をよくする働きがあります。下肢の静脈の硬化の進行を抑えることで下肢静脈瘤の予防、改善、エコノミークラス症候群の予防が期待されます。

第6章

EFEで血栓症が改善した人たち

血液検査では「100点満点ですよ」と医師から太鼓判。網膜中心静脈閉塞症から回復。血栓症の家系からくる不安も解消

茨城県つくば市　菊池愛子さん　79歳

私が目の病気を患ったのは64歳頃のことです。以前から心配だった目の病気に、本当になってしまいました。右の眼の視力が低下し、視野が欠けて周りがよく見えなくなってしまったのです。眼科を受診したところ眼底出血を起こしており、網膜中心静脈閉塞症と診断されました。網膜の血管が血栓で詰まって起こるのだそうです。

レーザー治療で網膜の血管を焼いてもらい、何とか回復しましたが、今も右目の下半分は見えません。血管をつぶしてしまったので回復はしないのです。ただ目の血管は細く破れやすいことから再発もあるそうなので、次に左目に起きたら両目とも…と思うと心配でたまりませんでした。

そんな時、血栓を溶かす作用があるＥＦＥというサプリメントに出会いました。これを毎日飲み始めました。

私の家系は血管系の病気が多くて、父と母が脳梗塞で亡くなり、兄が脳溢血で亡くなっています。弟もくも膜下出血になっています。姉も脳梗塞で倒れ、今も半身不随で寝たきりです。そんな家系ですので本当に心配で、いつ自分がそうなるかと思うと気が気ではありません。また私にも頭痛の持病があり、これが突然、頭の中が爆発するような激痛なんです。それが１か月に５～６回もあって、頭痛薬を飲んだりしておりました。

そういう心配もあり、ＥＦＥを予防的に飲んでいます。私にとっては欠かせないもの。手放せませんね。

その後ＭＲＩで脳を診てもらいましたが、お医者さんからは「心配ありません」と言われています。いつの間にか頭痛もきれいになくなりました。あの激痛は何だったのか、と不思議に思うくらいです。

今は目の調子もいいです。右目、下半分は見えませんが、上半分だけで視力が０・８、左目は正常で1・2という状態です。

定期的に健康診断は受けていますし、血液検査もやっています。血液に関してはお医者さんから「100点満点ですよ」と太鼓判をいただいています。こうやって元気でいられるのはEFEのおかげだと思います。

私のように家族の多くを血栓症で失くしていると、その怖さがよくわかります。血栓症は「なってからでは遅い」と実感しています。予防が何より大事なんです。ふだんの生活も大切ですが、EFEのような血栓を溶かすサプリメントがあれば、とても心強いと思います。

７か所のラクナ梗塞も完全に消滅。脳梗塞を乗り超え、すっかり元気に

茨城県稲敷市　田中あや子さん（仮名）76歳

５年ほど前のことです。友人たちとお茶の時間を過ごしていた時、おしゃべりをしても、ちょっとろれつが回らないような、うまく言葉が出てこないような違和感がありました。そういえば字を書こうとした時に何度かボールペンを落とし、変だなと思っていました。

そんな私に友人たちが「それはおかしいよ。すぐ病院に行った方がいいよ」「ペンを落としたりするのは脳梗塞の前兆だよ」と心配するので、とるものもとりあえず病院に向かいました。

病院ではすぐに検査となりＭＲＩを撮ったところ、何と小さな脳梗塞（ラクナ梗塞）が７か所も見つかったのです。ショックでしたが、どうすることもできません。そこ

で処方された薬を飲むことにしました。

ただ自分では、それだけでいいのだろうか、何か根本的な体質改善的なことをした方がいいんじゃないかと考えました。私は家系的に脳梗塞など脳の血管の病気で亡くなった人が多くて、私も脳梗塞にはなりやすいのに違いありません。

そんな私が出会ったのがＥＦＥです。血栓を溶かす働きがあるということで自分にぴったりだと思いました。何とか効果を得たくて飲んでみました。

それから1年ほどして脳ドックを受けたところ、7か所もあったラクナ梗塞がきれいになくなっていたんです。お医者さんも首をかしげて「（脳梗塞）ないねえ。わずかにその跡だけあるけど。どういうこと？」と言うばかりでした。

その頃には、言葉もすっかり元通りになり、全く正常な状態に戻りました。

以前は特に体調が悪いわけではなかったので、多少おかしいな、と思うことがあっても放置していました。それもよくなかったんでしょうね。

脳梗塞がわかって、ＥＦＥを飲むようになって、血圧もだんだん下がって１３０。この状態ならいいですよね。

若い時は痩せていて血圧も低かったんですよ。貧血もあって、子供を産んだ時には造血剤を打つくらいでした。ところが年をとるにつれてだんだん太ってきて、血圧が高くなってきました。一時は１８０くらいありました。これも自覚症状がなかったので、放置したのがよくなかったんですね。

もともとスポーツが大好きでソフトボールをずっとやっていました。60歳位までやってたんですよ。ソフトボールをやらなくなったことも健康にはよくなかったと思います。

脳梗塞はショックでしたが、完全に回復した状態です。血圧も下がりました。これは薬というよりＥＦＥのおかげだと思うんです。元気なので「その年には見えない」とよく言われます。76歳になりますが仕事もしています。

最近でもＥＦＥは毎日飲んでいます。寝る前に飲むのがいいようですね。私にとってはなくてはならない存在です。

足の静脈瘤が消滅。冷え性も改善、糖尿病の不安も消えて大満足。続けることが健康維持には不可欠です

東京都足立区　岡野久江さん　75歳

今から10年ほど前になります。足のひざ下の血管がボコボコと浮き出て、徐々に目立つようになってきました。女性の多くが悩んでいる下肢静脈瘤、見た目もいやですが、全身症状もあるんですよ。足の冷え、だるさ、むくみなど。中でも一番つらいのは就寝中に足がつること。朝方が多いんですが、その痛みたるやたとえようもありません。何をしてもよくならない。どうすることもできません。これは経験したことのある人にしかわからないと思います。

幸い静脈瘤は良性のもので、重い病気につながることはないと聞きましたが、あまりにひどいと手術の必要があるそうです。それに、何しろ足がつるのがつらい、治し

たい、何とかしたいと思っていました。

また他にも糖尿病の心配がありました。母も兄も糖尿病だったんですが、健康診断でヘモグロビンＡ１Ｃの数値が６・８と高めだったんです。もし糖尿病になれば、脳卒中や心筋梗塞にもなりやすいですし、合併症が怖いですよね。

そんな時出会ったのがＥＦＥです。血栓を溶かす、血栓症を防ぐとのことで、静脈瘤にもよさそうだと思いました。さっそく取り寄せて飲み始めたところ、色々な症状が軽くなってきたんです。

以前は、足の冷えで夏でも靴下を履かずにはすごせなかったのが、裸足でも平気になりました。静脈瘤の足のボコボコもだんだん目立たなくなってきました。きれいになったなあとびっくりです。先日は知人に足を見られて「あら、よくなってるじゃないの！」と言われたので、誰が見てもきれいになっているんだと思ってうれしかったですね。

ヘモグロビンＡ１Ｃも６・４になりました。でも食事ではあまり気をつけていなくて、それでもこの数値なので、ちょっと油断気味かなあとも思います。運動は以前より増やしています。

実はその後、腰痛が出てきて、ＥＦＥはちょっとお休みして、腰痛によいサプリメントに変えた時期があるんです。そしたらしばらくして後頭部が重い感じ、違和感が出てきたんです。これはやっぱりＥＦＥが必要だと思って再開しました。そうしたら後頭部の違和感もなくなったので、これは飲み続けた方がいいと思いましたね。

これからの健康を維持するためにも、私にはＥＦＥが欠かせないと思っています。

脳内出血と心筋梗塞を患って再発予防にＥＦＥ。血糖値も中性脂肪も正常になりすっかり体調も回復

埼玉県白岡市　中村誠司さん（仮名）72歳

今から十数年前のことですが、私は青森県の旅行先で脳内出血で倒れ、１か月入院したことがあります。旅行に行く前から首に痛みがあってちょっと変だなとは思ったんですが、そのままにして出かけてしまったんです。倒れた時、血圧は上が２３２、下が１５０という状態で、一時はどうなるかと思いました。

退院後は自宅から近い鴻巣の病院で治療を続けました。何とか青森から帰って来たものの右半身には麻痺が残り、腕がしびれ、持ち上げることもできませんでした。食事もひとりではできず、しゃべってもろれつが回らない状態でした。

それでも毎日リハビリをがんばって続けたおかげで、その後、何とか身の回りのことがひとりでできるようになりました。まだ右半身には後遺症でしびれが残っていま

したが、倒れた時のことを思えばよく回復したな、という感じです。

ところがその数年後、今度は心筋梗塞になってしまったんです。ちょうど女房と一緒に東京へ行った時のことです。駅の階段を上っていた時、妙な感じがしたんです。女房は結構速足で階段を上っていく感じがしました。なぜか追いつけない。息苦しいというか、何とも言えない感じでした。それで地元の病院に行ったら心筋梗塞ですよ。血管を広げるステントを入れる手術を、３回もやる羽目になってしまいました。

担当の医師が言うには、以前の脳内出血の時に、おそらく心臓にも異常が起きていたんだろうということです。全身の血管はつながっているので、どこかに異常があれば他の血管も傷んでいるのだと思った方がいいのでしょう。

それから私は、脳内出血や心筋梗塞が再発しないように、予防を心がけるようになりました。ＥＦＥを飲み始めたのも、こうした病気の再発を防ぐためです。

以前は他のサプリメントを飲んでいて、まあまあ調子がよかったんですが、寒くなったら食事中に頭がクラクラする時があったんです。

心配になって病院で検査を受けると、脳内出血や心筋梗塞の再発ではなく、血糖値に異常が起きていました。ヘモグロビンＡ１Ｃが７・０（正常値は４・６〜６・２）、中性脂肪も２６５です（男性は基準値１５０以下が正常）。どちらも血管や血液の異常なので、このままでは命に関わると思いました。

このままではダメだと思い、本気で予防しようとして飲み始めたのがＥＦＥでした。そうしたらヘモグロビンＡ１Ｃは６・４に、中性脂肪は１４３に下がったんです。うれしかったですね。

これには担当の医師も驚いて「何か運動をしていますか？」と聞かれましたが、その時は特に何もしていなくて、ＥＦＥを飲んでいただけです。

今はＥＦＥを継続しているのと、毎日2キロくらいは歩いています。やはり予防が大切です。健康寿命を伸ばすためにもＥＦＥは欠かせません。

第7章

EFEで血栓症を防ぐQ&A

Q、EFEとは何ですか？

Eisenia fetida Enzym（エイセニア・フェティダ・エンザイム）の略です。Eisenia fetidaとは原材料になっているミミズの名称、Enzymは酵素です。日本語ではミミズの名前ではわかりにくいので、成分がわかるように血栓溶解酵素、としています。

ミミズは、中国では「地竜」と呼ばれ、古くから漢方薬として使われてきた素材です。ただEisenia fetidaは自然の土の中にいるミミズではありません。何千種と言われるミミズの中から選ばれ、交配され、医療用に開発された全く新種のミミズです。

Q、漢方薬のミミズとはどこが違うのですか？

Eisenia fetidaは、医薬品といっても動脈硬化の改善が目的の素材です。そのために、成分や生産に適したミミズを選び、3代にわたって交配して作られました。動脈硬化改善、血栓症予防に特化した薬用生物と言っていいでしょう。

Ｑ、ＥＦＥは医薬品なのですか？日本でも使っているのですか？

原産国の中国では医薬品であり、血栓症の治療薬として使われています。しかしそれを日本でそのまま使うわけにはいきません。医薬品として使うには、厚労省に申請し、日本人向けの臨床試験を行って認可されて初めて使えることになります。それまでには何年もかかるでしょう。

できるだけ早く誰でもすぐ入手できるサプリメントにして、大勢の人に使ってほしいという意図があって、サプリメントとして日本で発売されました。

Q、EFEは、動脈硬化にどのように作用するのですか？

ＥＦＥは、直接血栓を溶かす作用があります。既にできている血栓はもちろん、血栓の材料であるフィブリン濃度を減少させ、血栓ができるのを予防することがわかっています。さらに血小板の凝集も抑制、血小板機能の正常化作用もあるなど、様々な角度から血栓を溶解し、血管の正常化をはかります。

Q、EFEは、どんな病気に効果があるのですか？

中国で使われているＥＦＥのターゲットは、虚血性脳血管障害（脳梗塞）の予防と治療とされています。他に虚血性心臓血管障害（狭心症、心筋梗塞）の予防と治療、その他静脈を含む全身の血栓症（末梢血管閉塞、深部静脈塞栓症、網膜中心静脈血栓症、眼底血管血栓など）の治療と予防、突発性難聴、糖尿病性腎症、慢性腎炎、腎臓組織繊維症の治療と予防などです。

これはあくまでＥＦＥの医薬品に限った効能であり、中国で臨床試験が行われているものです。

Ｑ、ＥＦＥのサプリメントは、医薬品のＥＦＥとどう違うのでしょうか？

原材料は医薬品と全く同じですが、薬効成分は同じではありません。医薬品と同じ量の薬効成分は使えないからです。

医薬品でないことで別のメリットがあります。紅参（乾燥した高麗人参）、オリーブ葉のエキス、ルチンなどの健康素材がブレンドされ、動脈硬化が進む中高年の健康を様々な角度からサポートできる配合になっています。

Q、EFEは錠剤ですか？　いつ、どのくらい飲むとよいのですか？

形状は粒です。毎日3粒、夜寝る前に飲むとよいです。体調によって適量は変えても大丈夫です。自分にとっての適量をみつけて飲むとよいでしょう。

第6章にご登場した方たちも、体調、病状を見ながら、量を増やしたり減らしたりして、適量を考えながら飲んでおられます。

Q、EFEは信頼できますか？

サプリメントは、医師が処方してくれるわけではないので、成分や効き目はきちんと把握した上で飲みましょう。

今日は、サプリメントも科学的根拠がしっかりしていることが大切です。製品の説明に、使用者の感想しかないようなものは、あまり信頼できないと言えるでしょう。

その点ＥＦＥは、臨床試験もたくさん行っており、信頼に足るものだと言えるでしょう。

Ｑ、ＥＦＥの安全性試験はしっかりやっているのでしょうか？

毒性試験、突然変異試験、染色体試験などをクリアしています。原産地の中国の試験も、日本での試験も行っており、定期的に検査を繰り返しています。安心して飲んでいただけます。

Ｑ、ＥＦＥは、糖尿病などの薬と併用しても大丈夫ですか？

大丈夫です。ＥＦＥは、動脈硬化が進む中高年の人が摂取することが多いです。この年代は高血圧や糖尿病など持病を持っていることも多く、大抵、常用している薬がありま す。ＥＦＥはそうした薬の作用を損なったり、効きすぎになるようなこともないです。

安心して服用していただけます。

Q、ＥＦＥと食べ合わせの悪い食品などはありませんか？

特にありません。薬の相互作用（飲み合わせ）や食品との食べ合わせは、慎重でなければありません。幸いＥＦＥには、効き目を左右するような食品はないようです。

Ｑ、家系に脳卒中の人が多いので、予防的にＥＦＥを飲もうと思います。けれども一度飲み始めたら、ずっと継続しないとダメでしょうか。

ＥＦＥは医薬品ではないので、いつ始めても、いつ止めても問題ありません。血栓症を防ぐには、ＥＦＥは最適なサプリメントですが、その人にとっての適量は自分で決めるのがいいと思います。

ただサプリメントを飲んでいるから、暴飲暴食してもいいということはありません。基本的には食事や運動などの生活習慣をきちんとしたものにして、プラスＥＦＥというのがベストな対応です。

血栓症に特化した最先端ミミズ酵素とは

脳梗塞や心筋梗塞などの血栓症は、一度発症したら命に関わる病気です。脳血管疾患と心疾患を合わせると、がんで亡くなる人とほぼ同じ。また脳梗塞などの脳血管疾患は、発見や治療が遅れた場合、重い後遺症が残る場合があります。寝たきりの原因の第一位は脳血管疾患です。

こうした血栓症は、圧倒的に男性が多く、患者数でも死者数でも男性の方がはるかに多いです。ホルモンの違いもあるようですが、ライフスタイルの違いが大きいと言われています。

会社員として働くことが多い男性の方がストレスが多く、酒席も多く、外食が多いことから栄養バランスが悪い人が多いようです。

このライフスタイルが高コレステロール、脂質異常、高血圧、メタボリックシンドロームにつながり、動脈硬化、血栓症というコースになってしまうわけです。

加えて問題なのは、男性の〝医者嫌い〟です。ＷＨＯも、男女の寿命の違いの原因（特に先進国）として「男性の方が病院に行かないから」と分析・発表しています。健康診断の機会は男性の方が多いはずですが、要再検査となった時に、これを無視する男性が多いため、とされています。

男性だけではありませんが、特に、仕事中心の生活をしている人は、ぜひ自身の体に向き合って、健康診断の結果を熟読していただきたいと思います。

高コレステロール、脂質異常、高血圧、メタボリックシンドローム→動脈硬化→血栓症と述べましたが、その先は「寝たきり」かもしれません。逆にこうした数値を１つずつ正常値に近づけることで、血栓症は確実に遠ざかっていきます。

血栓症を予防する方法として食事や運動などをご紹介しましたが、何か１つプラスするなら、本書で紹介したＥＦＥ（血栓溶解酵素）があります。この物質で血管に関する病気や健康問題を解消したという方が増えています。それも予防だけでなく、既にかかっている病気を和らげ、症状を抑える働きをしてくれます。

ミミズが原材料と聞くと、「ああ、漢方薬の一種か」と思う人がいるかもしれませんが、全く別物です。着眼点は漢方だとしても、血栓症をターゲットに選び出したミミズを3代にわたって掛け合わせて作られた、血栓症解消ミミズ。最先端科学が生んだミミズ酵素と言っていいでしょう。

実際に本国の中国では、血栓症の治療薬として使われ、高い評価を受けています。

血栓症予防のために、食事や運動などの生活改善に何か加えるとしたら、ＥＦＥはかなり有益な物質です。

心筋梗塞や脳梗塞などの血栓症は、最悪の場合、寝たきりになる可能性が高い病気です。しかし予防に努めれば防ぐことが可能です。ＥＦＥを含めた予防対策をしっかり行い、人生を幸せに生きていきましょう。

参考文献

『脳梗塞の予防がよくわかる最新知識』　内山真一郎監修（日東書院）
『心筋梗塞・狭心症』　三田村秀雄監修（日東書院）
『世界一やさしい脳卒中にならないための本』　永嶋信晴著（健学社）
『脳梗塞・脳出血・多発性脳梗塞・認知症の後遺症はこれで改善！』　岩村不二生著（ふく書房）
『血栓症に勝つ』　須見洋行監修（東洋医学舎）
『ミミズ酵素のちから』　美原恒著（メディカル・パースペクティブ）
『よごれた血管がキレイになる赤ミミズ酵素』　堀智勝監修（現代書林）
『脳梗塞　糖尿病を救うミミズの酵素』　栗本慎一郎著（たちばな出版）

◉ 監修者プロフィール

医師・医療相談専門医・産業医・森林医学医

佐野正行（さの・まさゆき）

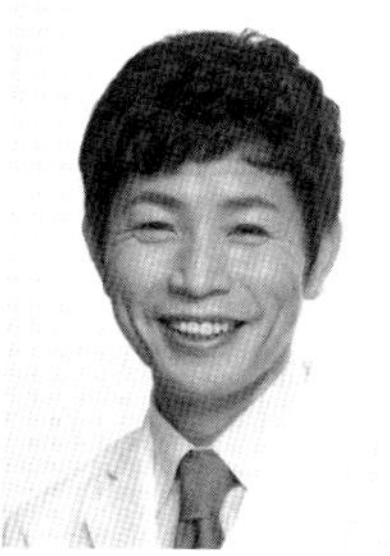

(株)メディカルアンドナレッジカンパニー 代表
ナチュラルクリニック代々木 医師
マーキュリーアカデミー 校長
川湯の森病院 副院長
日本産業医協会 会長
漢方養生学研究会 会長
予防医学・代替医療振興協会 学術理事

平成７年３月　名古屋大学医学部卒業
平成７年５月　豊橋市民病院
平成12年４月　名古屋大学医学部付属病院第一外科
平成12年６月　国立がんセンター中央病院
平成17年４月　国立がん研究所
平成18年７月　名古屋大学医学部付属病院第一外科
平成19年10月　武蔵野陽和会病院　外科医長
平成22年４月　三鷹中央病院　外科医長
平成24年４月　医療法人社団一友会　理事
「ナチュラルクリニック代々木」勤務

外科医として3000人以上の手術に携わる。

食生活改善による健康指導や予防医療、免疫力をあげて未病に対応するなど、「健康に、その人らしく、幸せに過ごす」サポートを治療から健康相談まで総合的に行う。著書に『最先端のがん免疫療法』（ワニブックス）がある。

◉ 著者プロフィール

金田一子（かねだ・いちこ）

フリーライター。評論家事務所、出版社、広告代理店勤務を経て独立。フリーライターとして食、健康、医療、環境問題をテーマに執筆活動を展開。特に血管疾患、アレルギー疾患について独自に研究中。

本書を最後までお読みいただきまして
ありがとうございました。

本書の内容についてご質問などございましたら、
小社編集部までお気軽にご連絡ください。

平原社編集部
TEL:03-6825-8487

怖い血栓症は
こうしたら防げる！治せる！

二〇二〇年一〇月二〇日　第一版第一刷発行
二〇二四年　一月　一日　第一版第四刷発行

監　修　佐野正行
著　者　金田一子
発行所　株式会社　平原社
東京都新宿区喜久井町三四番地　九曜舎ビル三階
（〒一六二－〇〇四四）
電　話　〇三－六八二五－八四八七
ＦＡＸ　〇三－五二九六－九一三四
印刷所　ベクトル印刷株式会社

© Ichiko Kaneda 2020 Printed in Japan

ISBN978-4-938391-69-0